地球のキセキ、大研究！

宝石のひみつ図鑑
ず かん

諏訪久子 著 ／ 宮脇律郎 監修
すわひさこ ちょ　　みやわきりつろう かんしゅう

世界文化社

地球のキセキ、大研究！
宝石のひみつ図鑑

宝石ってなんだろう？ …… 4
この本の使い方 …… 6

第1章　色引き宝石図鑑

宝石フォトクイズ …… 8、18、24、32、42、48、60

1 赤の宝石 …… 9
- ルビー …… 10
- パイロープ・ガーネット …… 12
- アルマンディン・ガーネット／
- ロードライト・ガーネット …… 13
- マンダリン・ガーネット／
- デマントイド・ガーネット …… 14
- ツァボライト・ガーネット …… 15
- スピネル …… 16
- コーラル（さんご） …… 17

2 黄・オレンジの宝石 …… 19
- トパーズ …… 20
- シトリン …… 21
- カルセドニー〈アゲート／モス・アゲート／ランドスケープ・アゲート〉 …… 22
- 〈カーネリアン／クリソプレーズ／オニキス／ブラッドストーン／ジャスパー〉 …… 23

3 緑の宝石 …… 25
- エメラルド …… 26
- トルマリン〈グリーン・トルマリン／バイカラー・トルマリン／ウォーターメロン・トルマリン〉 …… 28
- 〈カナリー・トルマリン／パライバ・トルマリン／インディコライト／ブルー・トルマリン／ルベライト／ピンク・トルマリン〉 …… 29
- ジェイダイト（ひすい） …… 30
- ペリドット／マラカイト …… 31

4 青の宝石 …… 33
- サファイア …… 34
- アクアマリン …… 38
- タンザナイト／アイオライト …… 39
- ラピスラズリ …… 40
- トルコ石 …… 41

5 紫・ピンクの宝石 …… 43
- アメシスト／アメトリン …… 44
- ロッククリスタル（水晶）／ローズ・クォーツ／ルチレイテッド・クォーツ／スモーキー・クォーツ …… 45
- クンツァイト／スギライト …… 46
- ロードナイト／ロードクロサイト …… 47

6 無色・白・黒の宝石 …… 49
- ダイヤモンド …… 50
- ジルコン …… 56
- ヘマタイト／オブシディアン …… 57
- パール（真珠） …… 58
- 生物由来の宝石〈アンバー（こはく）／ジェット／べっこう／アイボリー（象牙）〉 …… 59

7 ふしぎな光の宝石 …… 61
- アレキサンドライト／キャッツアイ …… 62
- スター・ルビー／スター・サファイア …… 63
- オパール …… 64
- ムーンストーン／サンストーン …… 66

第2章 宝石のひみつ

1 誕生のひみつ
1 | 宝石はどこで生まれるの？ ……… 68
2 | 宝石を生み出す地球の力 ………… 70
3 | 宝石が集まるところ「鉱床」 ……… 72
コラム❶ 宝石は地球のひみつを知っている … 74

2 結晶のひみつ
1 | 宝石の原石を観察しよう！ ……… 76
2 | 宝石はなにでできているの？ …… 78
3 | 宝石の結晶はどうやってできる？ … 80

3 色のひみつ
1 | モノの色が見えるしくみとは？ …… 82
2 | 宝石の色が変わる？〈光の種類〉 … 84
3 | 宝石の色が変わる？〈結晶の向き〉 … 86
4 | 宝石の色が変わる？〈加熱処理〉 … 87

4 輝きのひみつ
1 | 宝石を観察しよう！ ……………… 88
2 | 宝石の輝きと光について考えよう！ … 90
3 | 宝石のカットの種類を見てみよう！ … 92
4 | 宝石はどのように仕上げられるの？ … 94
コラム❷ 宝石の「じょうぶさ」とは？ …… 96

5 名前のひみつ
1 | 見た目が語源の宝石 ……………… 98
2 | ことば・地名・人名が語源の宝石 … 100
3 | 宝石の名前？ 鉱物の名前？ …… 101
4 | 宝石和名クイズに挑戦しよう！ … 102

6 歴史のひみつ
1 | 世界地図で見る宝石の歴史 ……… 104
2 | 宝石でたどるジュエリーの歴史 …… 106

7 価値のひみつ
1 | 宝石としての価値を持つには？ …… 110
2 | 宝石の旅～世代をこえて受けつがれる～
　　……………………………………… 113
3 | 本物の宝石ってなに？ …………… 114
コラム❸ 誕生石は時代とともに …… 116

付録
元素周期表で宝石の成分を調べよう！ … 118
宝石が見られる世界の博物館・美術館 … 120
宝石フォトクイズ＆宝石和名クイズの答え
　　……………………………………… 122
クオリティスケール ………………… 124
「ひみつ」を手に取ってくれたキミへ …… 125
キーワードさくいん ………………… 126

地球が

自然の力で

石ってなんだろう？

諏訪久子

美しく

じょうぶで

生み出した

手のひらに
キラキラと輝く赤い石。

これは宝石？　それとも宝石ではない？
手がかりは、その石にかくされています。

宝石とは、
「美しく」
「じょうぶで」
「見て楽しめる大きさがあり」
「多くの人が求める、数が限られたもの」。

この石は本物の宝石でしょうか。
どのように生まれ、
どんな名前を持つのでしょうか。
どうして赤く輝くのでしょうか。
価値はあるのでしょうか。

ひみつを解き明かしていきましょう。

見て楽しめる
大きさがあり

多くの人が求める
数が限られたもの

この本の使い方

この本は、第1章の「色引き宝石図鑑」と第2章の「宝石のひみつ」に分かれています。
宝石を身近に感じてもらうために必要な情報をまとめました。
さまざまな視点で宝石を「観察」してみてください。

第1章 色引き宝石図鑑

成分

それぞれの宝石に、どんな元素がどのくらいの割合で含まれているのか、「化学式」※で書いてあります。たとえばアメシストの成分は、ケイ素（Si）と酸素（O）が1:2なので、「SiO_2」と表されています。元素の種類は、118ページの元素周期表を見てください。

キズつきにくさ

キズつきにくさを、10段階で表します。☆10がいちばんキズつきにくく、ダイヤモンドは「☆10」。くわしくは96ページ参照。

宝石や原石などの写真といっしょに、特ちょうを紹介します。また、同じ仲間の宝石も解説しています。

宝石名
宝石の名前。

色
宝石が持つ色を、11に分けて表示したもの。めずらしい色も含まれています。

- ● = ピンク
- ● = 赤
- ● = オレンジ色
- ● = 黄
- ● = 緑
- ● = 青
- ● = 紫
- ● = 茶色
- ○ = 無色、白
- ● = 灰色
- ● = 黒

こわれにくさ

「割れにくさ」と「欠けにくさ」を表したもの。☆5の「とてもこわれにくい」から、☆1の「こわれやすい」までを5段階で示しています。くわしくは96ページ参照。

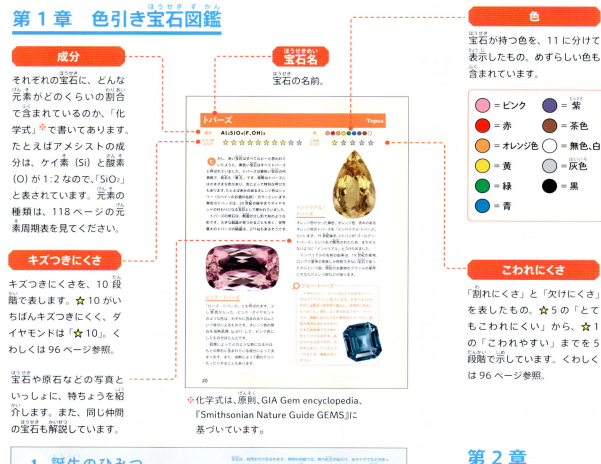

※化学式は、原則、GIA Gem encyclopedia、『Smithsonian Nature Guide GEMS』に基づいています。

第2章 宝石のひみつ

宝石にかくされている、たくさんの「ひみつ」を、イラストや写真を使って、わかりやすく解説しています。宝石はどこで生まれて、どうして輝くのかなど、1つ1つの「ひみつ」を解き明かしていきます。また「知って価値アリ！ 1カラットコラム」も掲載しています。

※カラットは宝石の重さを表す単位。1カラットは0.2g。むかし、宝石の重さをはかるための分銅に使われた「キャロブ（イナゴマメ）」から「カラット」になった。

第1章
色引き宝石図鑑

ザクロとガーネット

宝石(ほうせき)フォトクイズ

この宝石(ほうせき)の名前を答えよう。
赤の宝石(ほうせき)のページを読んで推理(すいり)しよう!

答えは122ページ

1 [赤の宝石]

レッド・スピネル　16ページ
レッド・ベリル　38ページ
レッド・ダイヤモンド　54ページ
レッド・ジルコン　56ページ
赤さんご　17ページ
アレキサンドライト　62ページ
ロードライト・ガーネット　13ページ
レッド・ジェイド　30ページ
ルビー　10ページ
アゲート　22ページ
パイロープ・ガーネット　12ページ
ジャスパー　23ページ
サンストーン　66ページ
アルマンディン・ガーネット　13ページ
スター・ルビー　63ページ

RED

ルビー   Ruby

成分	Al_2O_3	色	●●
キズつきにくさ	★★★★★★★★★☆	こわれにくさ	★★★★★☆

赤い宝石といえば、真っ先に思い浮かぶルビー。古代インドでは「宝石の王」と呼ばれていました。長い歴史があり、古代ギリシャや古代ローマ、古代ビルマ（現在のミャンマー）では戦士のお守りとして、中世ヨーロッパでは健康、富、知恵、そして愛を約束するものとして、身につけられてきました。

18世紀に入り、化学的な分析ができるようになるまで、赤い宝石はどれも「ルビー」と呼ばれていました。現在では、ルビーはアルミニウム（1円玉やアルミホイルに含まれる成分）と酸素でできている宝石で、ほんの少し入っているクロムという成分が、ルビーを赤くしているとわかっています。

ルビーの赤色は、明るくあざやかな赤から、くすんだ赤、ピンク色に近い赤などさまざまです。これは、自然のなかでクロムのほかにもわずかに取り込まれた成分があり、その組み合わせや量によって色みがちがうからです。また、ルビーのなかには、太陽光に含まれる紫外線を浴びると、内側から燃えるような赤色に光る（紫外線蛍光性／p.85）ものがあります。

自然のままで美しい色のルビーは数が限られています。そのため、むかしから加熱して色をよくしたものも取引されています。

ピジョン・ブラッド

最も価値があるとされるルビーの色は「ピジョン・ブラッド（ハトの血）」と呼ばれます。ミャンマーのモゴック産の、大粒で透明度が高く、濃く赤色の無処理ルビーだけに使われる特別な呼び方です。

ミャンマーのモゴックにあるルビー鉱山。白い大理石のなかに、豆粒ほどの大きさの原石が見つかる。

モゴック産（ミャンマー）

ミャンマーでは、西暦600年ごろからルビーが採られていました。モゴック産の無処理ルビーには、細いきぬ糸のようなすじ模様「シルク・インクルージョン」があります。また、赤い紫外線蛍光性が強く現れるのも特ちょうです。

インクルージョン

白いすじのように見えるのがシルク・インクルージョン。加熱処理でとけてしまう。

モンスー産（ミャンマー）

モゴックの南に位置するモンスーでは、大粒のルビーは少なく、小粒がほとんどです。1990年代中ごろから、黒っぽい原石に加熱処理（p.87）が行われるようになり、小粒の美しいルビーの産地となっています。

加熱処理で黒さがなくなる。ただし、加熱しても美しくならない原石もある。

加熱前

加熱後

産地別 ルビーの特ちょう

宝石は、生まれ育った土地の成分や成り立ちによって、含まれるわずかな成分やインクルージョン（p.63）がちがいます。そのため、色などに産地ごとの特ちょうが現れます。

タイ産

1960年ごろから、タイ産ルビーの取引が盛んになりました。オレンジ色に近い赤から紫色を帯びた赤まであります。原石は黒っぽいので、加熱処理をして色を明るくしています。黒っぽさが残ると、赤色がにごったように見えます。

モザンビーク産

2008年ごろから、原石がたくさん採れるようになり、ルビーの研磨が盛んなタイの首都バンコクに持ち込まれるようになりました。ミャンマー産に比べると、オレンジを帯びた色ですが、半分ほどは加熱処理をしなくても美しいものです。

ガーネット
Garnet

ガーネットは、原子の並び方（結晶構造／p.80）が同じ鉱物の仲間たちです。30種あまりの鉱物が知られていますが、そのうち宝石になるのは、パイロープ、アルマンディン、スペサルティンというアルミニウムを含むガーネットと、グロッシュラー、アンドラダイト、ウバロバイトのカルシウムを含むガーネットの6種類です。

赤いガーネットが有名ですが、さまざまな色があります。近年になって、今までになかった青いガーネットも見つかっています。ここでは、宝石の名前ごとにガーネットを紹介します。

さまざまな色の原石とルース（裸石）。赤色のイメージが強いガーネットだが、オレンジやグリーンも美しい。7ページでザクロといっしょに写っている宝石も、すべてガーネット。

パイロープ・ガーネット　　Pyrope garnet

成分　$Mg_3Al_2(SiO_4)_3$　　色　

キズつきにくさ　★★★★★★★☆☆☆　　こわれにくさ　★★★★☆

ギリシャ語で「燃えるような目をした」という意味の「パイロープ」。チェコ共和国にあるかつての産地にちなんで「ボヘミアン・ガーネット」とも呼ばれます。小粒でもはっきりとした赤い色は、わずかに含まれる鉄によるものです。

1990年代から市場に出た「アントヒル・ガーネット」は、アメリカ西部の乾燥地帯で産出します。アリが巣づくりで運んだガーネットが、アリ塚周辺に散らばるため、「アントヒル（アリ塚）」という名前がつけられました。ルビーと見まちがえるような赤色になるのは、ルビーと同じく、クロムという成分がわずかに含まれるからです。

ボヘミアン・ガーネット。19世紀後半のイギリスでつくられたジュエリーに多く使われている。

アルマンディン・ガーネット　　Almandine garnet

成分	$Fe_3Al_2(SiO_4)_3$

色

キズつきにくさ ★★★★★★☆☆☆☆

こわれにくさ ★★★☆☆

赤 いガーネットの代表格といわれる、「アルマンディン・ガーネット」。現在でも宝石の研磨が盛んな、トルコの都市「アラバンダ（現在のアラフィサール）」にちなんで名づけられました。世界中のさまざまな場所で見つかっており、何世紀にもわたって宝石として使われています。原石は、直径10cmをこえる大きな結晶もよく見つかります。

色が濃く暗くなりがちなため、古代ローマ時代からカットがくふうされています。浅めにカットしたり、ドーム状のカボションカット（p.92）にして底面をくぼませたりします。

原石

ロードライト・ガーネット　　Rhodolite garnet

成分	$(Mg,Fe)_3,Al_2(SiO_4)_3$

色

キズつきにくさ ★★★★★★★☆☆☆

こわれにくさ ★★★☆☆

ギ リシャ語の「バラ」を表す言葉「ロード」と、「石」を表す言葉「ライト」から名づけられました。「ロードライト・ガーネット」の最大の特ちょうは、なんといっても魅力的な紫がかった赤い色です。とくに太陽光の下で見ると、赤い色の美しさが際立ちます。

1882年にアメリカのノースカロライナ州で発見され、1901年には掘りつくされてしまいました。しかし、1964年にタンザニアで大きな鉱床（p.72）が見つかったほか、近年はスリランカ、インド、マダガスカルでも原石が採れるようになっています。

ロードライト・ガーネットは、パイロープの成分を約70％、アルマンディンの成分を約30％含んだガーネット。

原石

1　赤

マンダリン・ガーネット　　Mandarin garnet

成分　$Mn_3Al_2(SiO_4)_3$　　色　🟠

キズつきにくさ　★★★★★★★☆☆☆

こわれにくさ　★★★☆☆

マンダリンは英語で「中国原産のオレンジ」のこと。うすい黄色が多い「スペサルティン・ガーネット」のなかで、とくにあざやかなオレンジ色のものを「マンダリン・ガーネット」と呼びます。マンダリン・ガーネットは大粒でも色が明るく美しく輝きます。わずかに含まれる鉄によって、オレンジ色になります。

ピンク色とオレンジ色の間の色のものは、「マラヤ・ガーネット」と呼ばれます。ほとんどがスペサルティン・ガーネットとパイロープ・ガーネットがまざったもので、その色みは、鉄とマンガンという成分によるものです。

原石

デマントイド・ガーネット　　Demantoid garnet

成分　$Ca_3Fe_2(SiO_4)_3$　　色　🟢

キズつきにくさ　★★★★★★☆☆☆☆

こわれにくさ　★★★★☆

1850年代にロシアのウラル山脈で見つかりました。赤色しか知られていなかったガーネットに、はじめて加わった緑色のガーネットです。ダイヤモンドのようによく輝き、虹色の光がはっきりと見られることから名づけられました。ほかのガーネットに比べ、硬度（p.97）が低くキズつきやすいという特ちょうがあります。

「アンドラダイト・ガーネット」のなかで、あざやかな緑色のものを「デマントイド・ガーネット」と呼びます。緑色はわずかに含まれるクロムという成分によるものです。美しい黄色のアンドラダイトは「トパゾライト・ガーネット」とも呼ばれます。

中央にある馬のしっぽの毛をたばねたようなすじ模様、「ホーステイル・インクルージョン」（インクルージョン／p.63）があると、宝石の種類を鑑別する決め手になる。

ツァボライト・ガーネット

成分	$Ca_3Al_2(SiO_4)_3$

キズつきにくさ ★★★★★★☆☆
こわれにくさ ★★★☆☆
色 🟢

1　968年にケニアのツァボ国立公園で発見されました。アメリカの宝石商が名づけて販売し、有名になった宝石です。「グロッシュラー・ガーネット」のなかで、青みがかった緑から黄緑に近い緑の美しいものを「ツァボライト・ガーネット」と呼びます。わずかに含まれるバナジウムという成分で緑色になります。

　ツァボライトの原石は、小さな結晶が集まったかたまり状のものが多く、整った大きな結晶はめったにありません。そのため大粒の宝石はとても貴重です。オレンジ色のグロッシュラー・ガーネットは「ヘソナイト・ガーネット」と呼ばれます。

いろいろガーネット

　赤色のイメージが強いガーネットですが、グリーン・ガーネットは1850年代から、オレンジ・ガーネットは1990年代になってから、よく知られるようになりました。色のグラデーションを楽しんで、並べて見てみたくなるような宝石です。

マラヤ・ガーネット

ヘソナイト・ガーネット

トパゾライト・ガーネット

グロッシュラー・ガーネット

ハイドログロッシュラー・ガーネット

スピネル

Spinel

成分	$MgAl_2O_4$	色	●●●●●●●●○●

キズつきにくさ ★★★★★★★★☆☆

こわれにくさ ★★★☆☆

赤　く美しいスピネルは、長くルビーだと思われ、世界各国の王族の王冠などに仕立てられてきました。18世紀後半にルビーとは別の宝石だとわかりましたが、美しさに変わりはありません。なかでも有名なのは、14世紀のイギリスのエドワード黒太子（皇太子）が手に入れたとされる「黒太子のルビー」という名のレッド・スピネルです。その後もさまざまな戦いで勝利をもたらしたといわれ、現在はイギリスのロンドン塔ジュエル・ハウスで見ることができます。

産地はミャンマー、スリランカ、タジキスタン、タンザニア、ベトナムなどです。スピネルが長い間、ルビーとまちがえられてきた理由の1つは、ルビーと同じ場所で採れることが多いからです。

赤のほかにも、わずかに含まれる成分によって、多くの色になります。赤とピンクはクロム、オレンジはバナジウム、紫は鉄とクロム、青は鉄またはコバルトという成分によるものです。さまざまな色があるので、「レッド・スピネル」のように、色の名前をつけて呼びます。

紫　パープル・スピネル

赤　レッド・スピネル

オレンジ　オレンジ・スピネル

緑　グリーン・スピネル

青　ブルー・スピネル

無色　カラーレス・スピネル

黒　ブラック・スピネル

🔍 ルビーとスピネルの見分け方

ルビーとスピネルの大きなちがいは、原石の形と、光を屈折させる性質です。スピネルの原石はするどくとがった八面体、ルビーは豆粒状のものが多くあります。しかし原石の形はカットするとわからなくなってしまいます。

一方、光の屈折はカットされた宝石でも確認できます。スピネルでは、光は1本のまま屈折し、ルビーは2本に分かれて屈折します。このちがいを鑑別用の器具で確かめて、見分けることができるのです。

コーラル（さんご）   Coral

成分	$CaCO_3$	色	●●●○
キズつきにくさ	★★★✰☆☆☆☆☆☆	こわれにくさ	★★☆☆☆

深い海の底で育まれる宝石、コーラル。「サンゴ虫」と呼ばれる海にすむ微生物には、浅い海で珊瑚礁をつくる仲間と、深い海で木の枝のようなかたい「骨格」をつくり、宝石になる仲間がいます。むかしの人は、自然に折れたさんごが海岸に流れ着いたものを採っていました。海底にあるさんごの林が発見されると、残念ですが、無計画に大量に採られてしまうことがあり、今では資源保護が世界的な課題になっています。

歴史も古く、むかしから装飾に使われてきたことがわかっています。古代ローマでは地中海産のさんごがビーズ（p.92）に加工され、インドや北アフリカへもたらされました。日本には奈良時代に、地中海の赤さんごがシルクロード（p.104）を経由して中国から持ち込まれたそうです。19世紀後半に土佐沖でさんごが見つかると、日本のさんごは世界へ輸出されるようになりました。

さんごの成分は、大理石や石灰岩※と同じ、炭酸カルシウムです。炭酸カルシウムは、レモン汁や酢などの酸性の液体にふれると、化学反応を起こしてとけてしまいます。コーラルのお手入れには、汗や脂をふき取ることも大切です。

原木 宝石になるのは、さんごのなかでもとくにかたい種類。産地によってサンゴ虫の種類が異なり、原木の大きさや色、品質が大きくちがう。

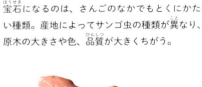
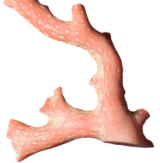

赤さんご

ももいろさんご

ピンク・コーラル

※大理石や石灰岩は、大むかしの水中でさんごや貝、ウミユリなどの生き物が残した炭酸カルシウムが海底に積もり、固まってできた岩石。

宝石フォトクイズ

この宝石の名前を答えよう。
黄・オレンジの宝石のページを読んで推理しよう!

答えは122ページ

2 [黄・オレンジの宝石]

YELLOW & ORANGE

トパーズ　　Topaz

成分　$Al_2SiO_4(F,OH)_2$

色　●●●●●●●●○

キズつきにくさ　★★★★★★★☆☆

こわれにくさ　★☆☆☆☆

むかし、赤い宝石はすべてルビーと思われていたように、黄色い宝石はすべてトパーズと呼ばれていました。トパーズは黄色い宝石の代表格で、和名も「黄玉」です。実際はトパーズにはさまざまな色があり、色によって特別な呼び方もあります。たとえば赤みのあるオレンジ色はシェリー（スペインのお酒の名前）・カラーといいます。無色のトパーズは、20世紀の後半までダイヤモンドの代わりになる宝石として使われていました。

トパーズの原石は、断面がひし形で柱のような形です。大きな結晶が見つかることも多く、世界最大のトパーズの結晶は、271kgもあるそうです。

インペリアル・トパーズ

オレンジ色がかった黄色、オレンジ色、赤みのあるオレンジ色のトパーズを「インペリアル・トパーズ」といいます。19世紀後半、シトリンが「ゴールデン・トパーズ」という名で販売されたため、まちがえないように「インペリアル」とつけられました。

インペリアルの名前の由来は、19世紀の産地、ロシアで皇帝の家族しか所有できない宝石であったからという説、現在の主産地のブラジルの皇帝にちなんだという説などがあります。

ピンク・トパーズ

「ローズ・トパーズ」とも呼ばれます。少し紫色が入った、ピンク・ダイヤモンドのような色は、わずかに含まれるクロムという成分によるものです。オレンジ色の原石を加熱処理（p.87）して、ピンク色にしたものがほとんどです。

処理によってどのような色になるかは、もとの原石に含まれている成分によって決まります。また、加熱によって割れたりくもったりすることもあります。

🔍 ブルー・トパーズ

天然のブルー・トパーズはとてもめずらしく、色はアクアマリンに似ています。日本では1870年代に滋賀県と岐阜県で産出し、世界的に有名になりました。現在、よく見られるブルー・トパーズは、価値がほとんどない無色のトパーズに、結晶の構造を変化させる力がある放射線で人工的に色をつけたものです。あざやかな水色ですが、不自然な色で、たくさんつくれるため、価値はありません。

シトリン　Citrine

成分　**SiO₂**

色　🟠🟡🟤

キズつきにくさ　★★★★★★★☆☆

こわれにくさ　★★★☆☆

🇯🇵　本では「黄水晶」と呼ばれています。天然のものはなかなかなく、ほとんどはアメシストを加熱（p.87）したものです。1883年ブラジルで、アメシストを熱するとあざやかな黄色になることがわかり、多く取引されるようになりました。

こうして十分な量ができるようになったシトリンは、まるでトパーズのように美しい黄色であることから「ゴールデン・トパーズ」とも呼ばれたのです。濃いオレンジ色のシトリンは、ポルトガルのマデイラワインの色に似ているので、「マデイラ・シトリン」と呼ばれます。

シトリンの黄色は、鉄によるものです。鉄を含むアメシストは加熱するとシトリンになるものがありますが、鉄を含まないものは変化しません。

とてもめずらしい天然のシトリン。加熱したものよりも黒っぽい。

アメシストを加熱したシトリン。色の濃淡はさまざま。

マデイラ・シトリンは濃いオレンジ色。

🔍 比べてみよう！　トパーズとシトリン

見た目が似ているトパーズとシトリン、キズつきにくさを比べてみると、トパーズのほうがキズに強いことがわかります。しかし、トパーズには割れやすい方向があり、こわれにくさはシトリンが勝ります。鑑別（p.114）の決め手は光を曲げる力、屈折率のちがいです。比重にも差があるので、同じ大きさのトパーズとシトリンであれば、トパーズのほうが重くなります。

	トパーズ	シトリン	比べると…
キズつきにくさ	★★★★★★★★	★★★★★★★	トパーズのほうがキズつきにくい
こわれにくさ	★	★★★	トパーズには割れやすい方向がある
屈折率	1.61〜1.64	1.54〜1.55	鑑別は屈折率が決め手になる
比重	3.5〜3.6	2.7	同じ大きさなら、トパーズのほうが重い

カルセドニー　Chalcedony

成分　**SiO₂**

色

キズつきにくさ　★★★★★★☆☆☆☆

こわれにくさ　★★★☆☆

カルセドニーは、「ロッククリスタル（水晶）」と同じ「クォーツ（石英）」という鉱物の宝石です。ロッククリスタルやアメシストなどの水晶は、１つの大粒な石英の結晶ですが、カルセドニーは、目に見えないほど小さな石英の結晶が集まっているものです。手に入りやすく加工もしやすいので、むかしから装飾品などに使われてきました。

色や模様の入り方によって、さまざまな名前がつけられています。ここで紹介したもののほかにもたくさんの種類があります。

アゲート
曲線を描く、しま模様があります。日本では「瑪瑙」と呼ばれ、古代には勾玉として、その後も数珠やかんざしなどに使われています。むかしからさまざまな色に染められてきました。

モス・アゲート
苔（モス）のような濃い緑色の模様が見られるアゲートです。木やシダ植物のような模様があると「デンドリティック（樹木状）・アゲート」と呼ばれます。

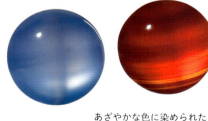

あざやかな色に染められたアゲートのビーズ。

ランドスケープ・アゲート
まるで「ランドスケープ（風景）」のような模様のアゲートです。結晶が集まって固まるとき、ほかの種類の鉱物の結晶が入り込み、複雑な模様をつくり上げます。

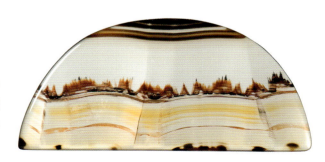

カーネリアン

インドで紀元前4世紀ごろから採掘されていた宝石です。半透明で赤みのあるオレンジ色で、加熱などにより色を濃くしたものもあります。しま模様があると、「カーネリアン・アゲート」と呼ばれます。

クリソプレーズ

名前は、ギリシャ語で「青りんご」の意味です。半透明の美しい緑色は、わずかに含まれたニッケルという成分が生み出す天然の色です。

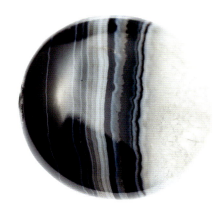

オニキス

日本では「しま瑪瑙」といいます。しま模様の層を生かして、カメオなどの彫刻（p.93）に使われてきました。真っ黒な「オニキス」と呼ばれているものは、カルセドニーを黒く染めたものです。

ブラッドストーン

その名の通り、血が飛びちったような模様がある、濃い緑色の宝石。十字架にかけられたキリストの血に見立て、キリスト教の装飾品に使われます。むかしのヨーロッパでは、止血やいやしのお守りにもされていました。

ジャスパー

不透明なカルセドニーは、「ジャスパー（碧玉）」と呼ばれます。とくに赤褐色のものを指すことが多く、古代エジプトでは、ビーズ（p.92）などに加工してたくさん使われていました。

宝石(ほうせき)フォトクイズ

この宝石(ほうせき)の名前を答えよう。
緑の宝石(ほうせき)のページを
読んで推理(すいり)しよう!

答えは122ページ

3 [緑の宝石]

ペリドット
31ページ

グリーン・ダイヤモンド
55ページ

グリーン・ジルコン
56ページ

アズルマラカイト
31ページ

ネフライト
30ページ

エメラルド
26ページ

トラピチェ・エメラルド
26ページ

マラカイト
31ページ

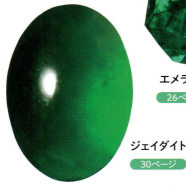
ジェイダイト
30ページ

アマゾナイト
66ページ

ブラッドストーン
23ページ

アレキサンドライト
62ページ

クリソプレーズ
23ページ

グリーン・トルマリン
28ページ

ハイドログロッシュラー・ガーネット
15ページ

デマントイド・ガーネット
14ページ

グロッシュラー・ガーネット
15ページ

グリーン・サファイア
37ページ

ツァボライト・ガーネット
15ページ

グリーン・スピネル
16ページ

モス・アゲート
22ページ

GREEN

エメラルド   Emerald

成分	$Be_3Al_2Si_6O_{18}$	色	🟢

キズつきにくさ ★★★★★★★☆☆☆

こわれにくさ ★★☆☆☆

「宝石の女王」と呼ばれるエメラルド。宝石のカット技術が発達するまでは、ダイヤモンドより価値の高い宝石でした。長い歴史をほこり、6000年以上も前から大切にされています。クレオパトラの時代、緑色の宝石はすべて「エメラルド」と呼ばれていました。エジプトにはむかしエメラルドの鉱山があったので、女王のコレクションのなかにも、この鉱山のエメラルドが含まれていたかもしれません。

エメラルドは、ほかの宝石と比べて「インクルージョン」（p.63）が多いという特ちょうがあります。インクルージョンの入り方は、産地によってちがいます。とくに、木や草が植えられた美しい庭のように見えるときは、「ジャルダン」（フランス語で「庭」という意味の言葉）と呼ばれています。

小さなすき間やキズは、むかしからオイルや樹脂を含ませることで目立たなくする処理が行われてきました。なかには、年月を経るとオイルや樹脂の部分が色あせたり、キズが目立ってきたりするものがあります。

原石

コロンビア産エメラルドの原石。金属のように光っているのは「パイライト」という鉱物。エメラルドを黒っぽくしてしまう鉄は、パイライトに集まるので、エメラルドは美しい緑色になる。

トラピチェ・エメラルド

中心から6方向に、放射状のすじ模様があるエメラルドです。トラピチェとは、スペイン語で「サトウキビをしぼる機械についた歯車」のこと。ルビーやサファイアでも見つかっていますが、たいへんめずらしい結晶です。

原石

コロンビア産

結晶のすき間に気体、液体、固体が入った「三相インクルージョン」が見られます。すべてのコロンビア産エメラルドにあるとは限りませんが、産地を特定する手がかりと、天然であることの証明になります。

インクルージョン

産地別 エメラルドの特ちょう

宝石は、生まれ育った土地の成分や成り立ちによって、含まれるわずかな成分やインクルージョン（p.63）がちがいます。そのため、色などに産地ごとの特ちょうが現れます。

サンダワナ産（ジンバブエ）

鉱物の一種、トレモライトの針状結晶が見られます。針のように長く、交差しています。エメラルドの結晶が成長するときに取り込まれたものです。

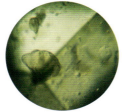

ザンビア産

インクルージョン

鉱物の一種、黒雲母のインクルージョンがよく見られます。鉱山ごとに、種類のちがうインクルージョンがあります。

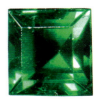

インクルージョン

🔍 エメラルドカット

ダイヤモンドやほかの宝石にも使われる「エメラルドカット」は、コロンビア産エメラルドの原石のために生まれたカットの形です。

六角柱状の原石は、外側のほうは色が濃く、中心はうすいという特ちょうがあります。色を保ちながら、原石の重さを減らさないように、外側の面を四角形のテーブル（p.91）にしたステップカット（p.93）になりました。四角形は角が欠けやすいので、四すみの角をけずる「すみ切り」にします。

トルマリン　**Tourmaline**

成分　Na(Li$_{1.5}$,Al$_{1.5}$)Al$_6$Si$_6$O$_{18}$(BO$_3$)$_3$(OH)$_4$ ※

色　●●●●●●●●○●

キズつきにくさ　★★★★★★★☆☆☆

こわれにくさ　★★☆☆☆

さまざまな色と表情を持つ、多彩なトルマリン。紀元前から宝石として使われてきましたが、赤いものはルビー、青いものはサファイアと思われてきました。16世紀半ば、大航海時代（p.104）にポルトガル人がブラジルでグリーン・トルマリンの大きな鉱床（p.72）を発見したときも、エメラルドとしてヨーロッパに持ち込まれました。トルマリンとして区別されるようになったのは、1800年代の後半になってからです。

トルマリンという名前は、スリランカのシンハラ語で「さまざまな色の宝石」を意味する「トゥラマリ」が語源です。川底の砂にカラフルな宝石がまざっているところを採掘していたということを示しています。

いろいろな色があるのは、色によって少しずつちがった成分が含まれるからです。バイカラーやウォーターメロンのように、1つの結晶に2つ以上の色が見られることもあります。

バイカラー・トルマリン／ウォーターメロン・トルマリン

「バイカラー・トルマリン」は、ひと粒の宝石のなかで色が異なっているものです。多くはピンクと緑の組み合わせです。成分が途中から異なるので、色も異なります。「ウォーターメロン・トルマリン」は、結晶の中心部と外側で、色がちがっています。中心部がピンクで外側が緑のものは、スイカに見立てて、ウォーターメロンと呼ばれます。

グリーン・トルマリン

鉄に由来する緑色で、透明度が高いトルマリンです。大きめの原石が見つかるので、彫刻や特殊なカットにされるものもあります。「ヴェルデライト」（ヴェルデは、フランス語で「緑」という意味の言葉）とも呼ばれます。

同じグリーン・トルマリンでも、「クロム・トルマリン」の小粒で濃い緑色は、バナジウムとクロムという成分によるものとわかっています。

※トルマリンの成分にはさまざまな種類があるため、宝石となるトルマリンの代表として「エルバイト（リチア電気石）」という鉱物の成分を表示しています。

カナリー・トルマリン

1983年にアフリカのザンビアで発見された、新しいトルマリンです。イエロー・トルマリンのなかでもあざやかなレモン・イエローが際立ったものが「カナリー・トルマリン」と呼ばれます。独特の色は、わずかなマンガンが含まれることによって生まれています。

パライバ・トルマリン

はなやかな「ネオン・ブルー」と呼ばれる色が特ちょうの、希少なトルマリンです。1989年の1年間だけ、ブラジルのパライバ州で産出したことから、この名前がつきました。現在はほかの場所で採れたものも、銅とマンガンに由来する同じ色合いであれば、「パライバ・トルマリン」と呼んでいます。

インディコライト／ブルー・トルマリン

グリーンと同じく、鉄が含まれることによって色が生まれたブルー・トルマリンのうち、濃い青色のものを「インディコライト」と呼びます。パライバ・トルマリンの青色とは異なる色ですが、ピンク・トルマリンに比べるととても希少です。

インディコライト

ブルー・トルマリン

ルベライト／ピンク・トルマリン

ピンク色のトルマリンのうち、色が濃いものを「ルベライト」と呼ぶことがあります。マンガンという成分が含まれていて、これが宇宙や地面などから出ている放射線の作用を受けると、結晶の構造を変化させてピンク色になります。

ルベライト

ピンク・トルマリン

ジェイダイト（ひすい） — Jadeite

成分 $NaAlSi_2O_6$

色 ●●●●●●●●○○●

キズつきにくさ ★★★★★★☆☆☆☆

こわれにくさ ★★★★★

日本では、宝石は「玉」と呼ばれてきました。古い時代から現在まで大切にされてきた玉が、ひすいです。縄文から古墳時代の遺跡から見つかっており、1930年ごろに産地が新潟県の糸魚川だとわかりました。さまざまな色がありますが、クロムという成分による緑色で半透明のものを「インペリアル・ジェイド」といいます。なかでも透明度が高く、緑色の美しいものは「ろうかん」と呼ばれます。

緑色のほかには紫色のラベンダー・ジェイドも人気があります。彫刻では緑、黄、白など複数の色が一体になったものが大切にされます。カットは半透明の質感を生かしたカボションやビーズ（p.92）が多く、くりぬいて指輪などにも加工されます。おもな産地はミャンマーとグアテマラです。

国立科学博物館所蔵のインペリアル・ジェイド。「青唐辛子」と呼ばれている。

 赤 レッド・ジェイド

 オレンジ オレンジ・ジェイド

 黄 イエロー・ジェイド

 青 ブルー・ジェイド

 紫 ラベンダー・ジェイド

台湾の国立故宮博物院が所蔵する「翠玉白菜」は彫刻が有名。

 無色 アイス・ジェイド

 黒 ブラック・ジェイド

🔍 ジェイドってなに？

「ジェイド」と呼ばれる宝石には、「ジェイダイト（硬玉）」と「ネフライト（軟玉）」という2つの鉱物のほか、いくつかの半透明から不透明の緑色の宝石が含まれます。

硬玉と軟玉は、中国で古くから区別されていましたが、鉱物の種類のちがいがわかったのは、近代的な鉱物学が整った後のことです。

ネフライト

ペリドット　　Peridot

成分　$(Mg,Fe)_2SiO_4$

色　🟡🟢🟤

キズつきにくさ　★★★★★★☆☆☆☆

こわれにくさ　★★☆☆☆

マントルをつくっている「オリビン（かんらん石）」という鉱物の結晶で、多くはマグマの上昇によって地表近くにもたらされます。ハワイ島にはオリビンの砂粒でできた、緑の海岸「グリーン・サンド・ビーチ」があります。いん石のなかに発見されることもある宝石です。

ハスの葉の形をした「リリーパッド」と呼ばれるインクルージョン（p.63）は、ペリドットだけに見られる特ちょうです。古代エジプトでは3500年以上前から産出し、「太陽の石」と呼ばれていました。その名にふさわしい、黄緑色の明るい輝きです。

光を2方向に曲げる性質があるので、テーブル（p.91）面からのぞき込むと、反対側の辺が二重に見えます。

マラカイト　　Malachite

成分　$Cu_2(CO_3)(OH)_2$

色　🟢

キズつきにくさ　★★★☆☆☆☆☆☆☆

こわれにくさ　★☆☆☆☆

日本では「孔雀石」と呼ばれます。クレオパトラがアイシャドウに利用し、現在でも絵の具、陶器やガラスの色付けに使われます。緑色は銅によるもので、銅がさびたときにできる「緑青」と同じです。銅の鉱床とともに見つかることがあります。19世紀にはロシアのウラル山脈で採掘され、サンクトペテルブルクの聖イサク大聖堂がマラカイトの柱で装飾されました。

マラカイトと成分が近いアズライトは、性質も似ている不透明の青い宝石です。マラカイトと組み合わさって「アズルマラカイト」という宝石になります。アズライトの青色も銅によるものです。

アズルマラカイト

青色部分がアズライト、緑色部分がマラカイト。

宝石フォトクイズ

この宝石の名前を答えよう。
青の宝石のページを
読んで推理しよう！

答えは122ページ

[青の宝石]

タンザナイト 39ページ
スター・サファイア 63ページ
アイオライト 39ページ
ブルー・スピネル 16ページ
アクアマリン 38ページ
サファイア 34ページ
ブルー・ダイヤモンド 54ページ
パライバ・トルマリン 29ページ
ミルキー・アクア 38ページ
ブルー・ジェイド 30ページ
ブルー・ジルコン 56ページ
ブルー・トルマリン 29ページ
ラピスラズリ 40ページ
アウイナイト 40ページ
インディコライト 29ページ
トルコ石 41ページ
ムーンストーン 66ページ

BLUE

サファイア Sapphire

成分	Al_2O_3	色	●●●●●●●●●○●
キズつきにくさ	★★★★★★★★★☆	こわれにくさ	★★★★☆

　古くから大切にされてきた宝石の1つ、サファイア。歴史は、紀元前7世紀までさかのぼります。古代ペルシャでは、地球はサファイアの円盤でできていて、空が青いのはその円盤の青が映っているからだと考えられていました。宇宙から見た地球が「青い星」と呼ばれるのはふしぎな偶然です。

　むかしの仏教では、サファイアは精神的な気づきを導く力があると信じられていました。また中世ヨーロッパの聖職者は、天国の象徴としてサファイアのリングを身につけ、人々は天の恵みを引き寄せる宝石と考えていました。そして世界の王族たちに好まれ、ジュエリーに仕立てられてきました。現在は婚約指輪としても選ばれています。

　ルビーと同じく、アルミニウムと酸素の宝石とわかったのは科学が発達してからで、それまでは、青い宝石の多くは「サファイア」と呼ばれていました。青色のもとは、わずかに含まれる鉄とチタンという成分によるものです。濃いものからうすいものまで、さまざまな品質があります。品質がよく大粒のものは、光を反射して明るい青色に輝きます。

　自然のままで美しい色のサファイアは、数が限られているので、ルビーと同じように、むかしから加熱して色をよくしたものも多く取引されています。サファイアの青色は、タンザナイトなど、ほかの青い宝石の評価基準になります。

原石
さまざまな色のサファイアの原石。帯状に色がついている様子がわかる。サファイアといえば「ブルー・サファイア」のことだが、あらゆる色のものがある（ファンシーカラー・サファイア／p.36）。

産地別 サファイアの特ちょう

宝石は、生まれ育った土地の成分や成り立ちによって、含まれるわずかな成分やインクルージョン（p.63）がちがいます。そのため、色などに産地ごとの特ちょうが現れます。

スリランカ産

スリランカは、紀元前からさまざまな宝石を産出し「宝石の宝庫」と呼ばれています。無処理で美しいサファイアが採れるほか、「ギウダ」と呼ばれる白色の結晶を加熱処理（p.87）した、ほどよい濃さのものがあります。

マダガスカル産

現在のおもな産地で、スリランカ産とよく似たサファイアです。無処理のものは限られており、多くは加熱処理されています。

カシミール産（インド、パキスタン）

1900年前後に採掘されていましたが、現在はほとんど産出されていません。そのときに採れたものが品質も高く美しいので、今も売買されています。無処理で「シルク・インクルージョン」（インクルージョン／p.63）があるため、ベルベットのような光沢が感じられる青色です。ドイツの国花のヤグルマギクの色に見立てて「コーンフラワー・ブルー」と表現されます。「コーンフラワー」はヤグルマギクの英語名です。

ミャンマー産

ルビー500個に対してサファイアが1個見つかる程度の産出量ですが、なかには大粒で美しく、「ロイヤル・ブルー」と呼ばれるものがあります。

パイリン産（カンボジア）

小粒で濃い青のものが多く、加熱処理で色を明るくしています。1960年代までは主要な産地でしたが、その後は少なくなっています。

そのほかの産地
- オーストラリア
- モンタナ州（アメリカ）
- ナイジェリア

サファイア　　　Sapphire

ファンシーカラー・サファイア

　サファイアは、もともと青い色の宝石にあたえられた名前です。鉱物の研究が進み、青いサファイアと赤いルビーは、同じ「コランダム」という名前の鉱物で、青や赤のほかに無色透明を含めた、さまざまな色があるとわかりました。

　現在は赤いコランダムをルビー、青いコランダムをサファイアまたはブルー・サファイアと呼び、そのほかはまとめて「ファンシーカラー・サファイア」と呼びます。色ごとには「イエロー・サファイア」「パープル・サファイア」のように呼びます。

　また、無色透明のカラーレス・サファイアは、「ホワイト・サファイア」とも呼ばれ、イエロー・サファイアには、「ゴールデン・サファイア」と呼ばれるものがあります。

パパラチア・サファイア

「パパラチア・サファイア」は、ピンクとオレンジの間の色です。パパラチアは「蓮の花」という意味です。無処理のものは色があせてしまうことがありますが、半日ほど直射日光に当てておくと、もとに戻ります。

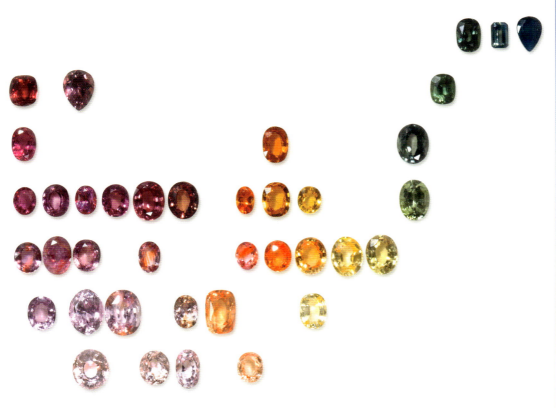

さまざまな色みのルビーとサファイア。すべて同じコランダムという鉱物で、わずかに含まれる成分のちがいや結晶構造のゆがみなどによって、さまざまな色になる。

アクアマリン　　Aquamarine

成分　$Be_3Al_2Si_6O_{18}$　　　色　●

キズつきにくさ　★★★★★★★☆☆☆　　こわれにくさ　★★★★☆

2,000年ほど前、ローマ人にラテン語の「水（アクア）」と、「海（マリナ）」から名づけられたアクアマリン。その名の通り、すきとおった美しい水色の宝石です。古くは船乗りのお守りとして、「波を落ち着かせる力」があると信じられていました。自然のままで水色のものは少ないため、ほとんどは加熱処理（p.87）されています。もとの原石に含まれている成分次第で、加熱して美しくなるもの、ならないものがあります。

エメラルドと同じ「ベリル」という鉱物ですが、インクルージョン（p.63）が少なく、産出量も多いので、透明で大きく形の整ったものが数多くあります。

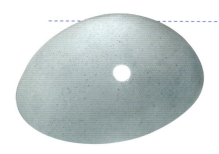

ミルキー・アクア

半透明で色があわいアクアマリンはカボションカット（p.92）にします。やさしい水色の「ミルキー・アクア」に仕上がり、色と質感が楽しめます。

[ベリル（緑柱石）]ってどんな石？

ベリルは、希少な元素で貴重な金属のベリリウムを多く含んでいる鉱物です。

わずかに含まれる元素の種類によって、さまざまな色になり、色ごとの宝石名がついています。クロムやバナジウムを含む緑色のベリルはエメラルド、鉄による水色のベリルはアクアマリンです。マンガンを含むと、あわいピンク色のモルガナイトや、濃いピンク色のレッド・ベリルになります。また、ヘリオドールや「ゴールデン・ベリル」と呼ばれる黄色や黄緑色のベリルは、アクアマリンと同じく鉄を含んでいます。

モルガナイト

レッド・ベリル

アクアマリンの原石。

タンザナイト　Tanzanite

成分	$Ca_2Al_3(SiO_4)_3(OH)$	色	🔵🟣
キズつきにくさ	★★★★★★☆☆☆☆	こわれにくさ	★☆☆☆☆

深く美しい青色に目をうばわれるタンザナイト。発見のきっかけは、1967年にタンザニアで起きた山火事でした。山火事のあとで見つかった濃い青色の結晶を調べたところ、茶色いゾイサイトの結晶を熱すると、美しい青に変わるとわかったのです。アメリカの宝石商がタンザナイトと名づけて宣伝すると、あっという間に有名になりました。産地はタンザニアのみです。

サファイアと並ぶ美しさですが、硬度が低く、しょうげきにも弱いので、取りあつかいには注意が必要です。急激な温度変化でも、割れができてしまうことがあるそうです。

タンザナイトは、多色性（p.86）が強いという特ちょうがある。この写真では、青紫色と赤紫色が見える。

アイオライト　Iolite

成分	$Mg_2Al_4Si_5O_{18}$	色	🔵🟣🟤
キズつきにくさ	★★★★★★★☆☆☆	こわれにくさ	★★☆☆☆

ギリシャ語で「スミレ」という意味の言葉「イオス」に由来する名前のアイオライト。スミレの花のような、青色から青紫色の宝石です。多色性が強く、角度を変えて見ると透明に見えるものもあり、むかしは「ウォーター・サファイア」と呼ばれていました。アイオライトの青は鉄によるもので、加熱などの処理をしなくても美しい色です。

伝説では、北欧のヴァイキングが強い多色性を生かし、板状のアイオライトをサングラスのように使って、太陽の正確な位置をつかんだそうです。航海に役立てたため「コンパス・ストーン」とも呼ばれます。

アイオライトも多色性が強い。青紫色のほかに、茶色がかった色が見える。

ラピスラズリ   Lapis lazuli

成分	$Na_3Ca(Al_3Si_3O_{12})S$ ※	色	🟢🔵🟣

キズつきにくさ ★★★★★☆☆☆☆☆

こわれにくさ ★★☆☆☆

最も歴史の長い宝石の1つ、ラピスラズリ。6000年以上前には人間が使っていたことがわかっていて、四大文明、ギリシャ・ローマ時代を通じて大切にされてきました。産地は当時から現在にいたるまでアフガニスタンで、むかしの商人たちが世界各地へと運んでいました。遠く日本へもシルクロード（p.104）を通って伝わり、奈良時代の正倉院に宝物の1つとして収められています。

古くはクレオパトラがマラカイトとともに、アイシャドウにしたといわれています。絵の具の材料としても有名です。地中海を渡ってきたことから「ウルトラマリン（海をこえた）」と呼ばれ、中世ヨーロッパの絵画では、聖母マリアの服など、特別なものを描くときに使われました。

ラピスラズリは、いくつかの鉱物が集まってできています。大部分は青色のラズライトで、白いカルサイト（方解石）と金色のパイライト（黄鉄鉱）のほか、青色のソーダライトやアウイナイトがまざっています。パイライトの粒が散りまじっている様子は、星空にたとえられます。

🔍 ラピスラズリにも含まれる「アウイナイト」

アウイナイトはサファイアなど、ほかの透明な青い宝石とはちがう色みの美しい宝石です。ラピスラズリにも含まれることがあります。アウイナイトの結晶が大きくなり、宝石レベルの品質のアウイナイトになることはめずらしく、原石は小粒です。割れやすくキズが多いので、身につけるよりも見て楽しむことに向く宝石といえます。

19世紀初めの文献に登場するアウイナイトの名前は、フランスの鉱物学者で「結晶学の父」と呼ばれる、ルネ＝ジュスト・アユイ博士からつけられたそうです。

※ラピスラズリは数種の鉱物の集合体なので、代表的な「ラズライト」という鉱物の成分を表示しています。

トルコ石　　　Turquoise

成分　$CuAl_6(PO_4)_4(OH)_8 \cdot 4H_2O$　　色　🟢🔵

キズつきにくさ　★★★★★☆☆☆☆☆　　こわれにくさ　★★☆☆☆

ラピスラズリと並び、長い歴史を持つトルコ石。紀元前5000年代にはエジプトの王族がジュエリーとして身につけ、メソポタミア（現在のイラクの一部）ではトルコ石のビーズ（p.92）が見つかっています。中国でも3000年以上前から、彫刻に使われていました。13世紀までは、美しい石を意味する「カレース」と呼ばれていましたが、トルコを経由してヨーロッパに持ち込まれたことで、「トルコ石」というようになりました。

トルコ石は、乾燥地帯にできる宝石です。砂漠地帯や雨の少ない高地で、地下水に含まれた成分が結晶してできます。砂や岩石のなかで結晶するため、ほとんどのものに「マトリックス（メイトリックス）」と呼ばれる、母岩（宝石を取り囲む岩石）のすじや模様が入っています。

結晶の間にすき間があるため、薬品や化粧品だけでなく、汗や空気にふれているうちに緑色に変化してしまいます。そのため多くのトルコ石は、樹脂などでコーティングして変色を防いでいます。「ターコイズ・ブルー」と呼ばれる美しい青は、パライバ・トルマリンと同じく銅によるものです。

産地別 トルコ石の特ちょう

宝石は、生まれ育った土地の成分や成り立ちによって、含まれるわずかな成分がちがいます。そのため、色などに産地ごとの特ちょうが現れます。

イラン産

最高品質とされるのは、かつて「ペルシャ」と呼ばれたイランで産出されたものです。ほかの産地のものに比べてかたく、変色しにくいという特ちょうがあります。「ペルシャン・ブルー」と呼ばれるトルコ石の色は、現在ではイラン産以外のものにも使われています。

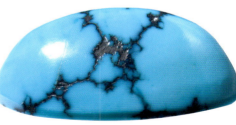

アメリカ産

歴史の長さでは、アメリカ産もペルシャ産に並びます。古代メキシコからアステカ文明の時代の人々、さらに現代のアメリカ先住民族にいたるまで、この地域でつくられる工芸品に欠かせない素材です。アメリカ産のものは少し緑色を帯びています。

イラン産の原石

宝石フォトクイズ

この宝石の名前を答えよう。
紫・ピンクの宝石のページを読んで推理しよう!

答えは122ページ

5 ［紫・ピンクの宝石］

PURPLE & PINK

アメシスト　　Amethyst

成分　SiO_2　　色　●

キズつきにくさ　★★★★★★★☆☆☆　　こわれにくさ　★★★☆☆

　むかしから、位の高い人が身につけてきた紫色。アメシストは、その色を代表する宝石で、地球上にたくさんある水晶（クォーツ）のなかでも、群をぬいて大切にされてきました。ヨーロッパでは2万5000年前の遺跡からも見つかっています。エジプトでは紀元前3100年ごろ、初めての王朝の時代から儀式の品や装飾品に用いられてきました。また、古代ギリシャの伝説では、ワインのような色からお酒の神様のバッカスと結びつけられて、「お酒に酔わないお守り」になると信じられていました。

　19世紀まではロシアで産出されるめずらしい宝石でしたが、ブラジルで大きな鉱脈が発見され、たくさん採れるようになりました。現在は南米のほかの産地も加わり、カットされた石だけでなく、母岩についたままのドーム状の原石も人気です。

　色は青みがかったものや、ピンクや赤みを帯びたものがあります。また「カラー・ゾーニング（色帯）」という色の濃淡のしま模様を見ることができるものもあります。さらに、大粒のアメシストは「デザイナーズ・カット」と呼ばれるような、芸術的な彫刻仕上げのものもあります。

原石

アメトリン

アメシストの紫色とシトリンの黄色が、1つの結晶に現れる宝石を「アメトリン」といいます。自然の偶然が重なって生まれます。ボリビア南東部が世界で唯一の産地です。

クォーツの仲間たち

「クォーツ(石英)」は、天然氷と長石に次いで、3番目によくある身近な鉱物です。形の整った結晶になっている水晶だけでなく、石や砂のなかには小さな粒となって、空気中のチリやホコリのなかにも目に見えないほどのさらに小さな粒となって含まれています。海岸に流れ着いたガラスのかけらは、砂のなかのクォーツなどにこすられて、表面がすりガラスのようにくもっています。窓ガラスの表面も長い時間が経つと、空気中のクォーツがぶつかって、少しずつ小さな傷がついていきます。そのためクォーツの硬度7は、ほかの宝石にとって空気中でキズつかずに、長く楽しめるかどうかの1つの基準となります。

クォーツには、電圧をかけると規則的にふるえる性質があります。この性質を利用し、クォーツ時計がつくられました。現在は人工的に合成クォーツが大量生産され、工業製品に活用されています。

美しく結晶したクォーツは、色や見た目によって名前がつけられています。アメシストやシトリンのほかにも、さまざまなものがあります。

ローズ・クォーツ

日本語で「紅石英」や「ばら石英」と呼ばれます。結晶のなかに入ったとても細かいインクルージョン(p.63)が、光を散乱させるのでピンク色に見えます。半透明でビーズ(p.92)や彫刻の素材としても使われています。

ロッククリスタル(水晶)

無色透明なクォーツです。古代ローマではアルプス山脈の高地で見つかることから「永遠にとけない氷」と考えられていました。

ルチレイテッド・クォーツ

和名は「針水晶」です。針状の「ルチル結晶」が閉じ込められています。ルチルは、チタンを成分とする鉱物です。

スモーキー・クォーツ

和名は「煙水晶」です。わずかに含まれるアルミニウムと自然の放射線によって、うすい茶色から黒っぽい色になります。人工的に放射線を当てて処理をしたものもあります。

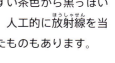

クンツァイト　　Kunzite

成分　$LiAlSi_2O_6$　　色　●

キズつきにくさ　★★★★★⯪☆☆☆☆　　こわれにくさ　★☆☆☆☆

リ　チウムを主成分とする鉱物、「スポジュメン（リチア輝石）」のうち、あざやかなピンク色の宝石がクンツァイトです。1902年にアメリカの宝石学者、ジョージ・フレデリック・クンツ博士が最初に鑑別し、名前の由来になりました。少しのしょうげきで割れたり欠けたりするため、みがくのがむずかしい宝石です。また強い光や熱にさらすと、色があせてしまいます。

近年、結晶の構造を変化させる放射線によって人工的に色を濃くしたものが多く出回っています。天然の色か人工の色かは見分けることができないので、注意が必要な宝石です。

スギライト　　Sugilite

成分　$KNa_2(Fe,Mn,Al)_2Li_3Si_{12}O_{30}\cdot H_2O$　　色　●●

キズつきにくさ　★★★★★⯪☆☆☆☆　　こわれにくさ　★★★★☆

1　1944年に日本の岩石学者、杉 健一博士らが愛媛県で見いだした緑色の小さな粒の鉱物です。研究が進んでからようやく新種であることがわかり、1976年になって「スギライト」と名づけられました。その後、南アフリカなどで見つかった美しい紫色の鉱物もスギライトとわかり、宝石や彫刻に使われるようになりました。日本人にちなんで名づけられた唯一の宝石で、和名は「杉石」です。

かたまりか粒状で産出し、宝石としては多くがカボションカット（p.92）にされます。ピンクから紫の色は、マンガンという成分によるもので、ほかの元素のまざり方で色が変わります。

ロードナイト　　　　Rhodonite

成分　$(Mn,Ca)_5(Si_5O_{15})$　　色 ●●●

キズつきにくさ ★★★★★★☆☆☆☆　こわれにくさ ★★☆☆☆

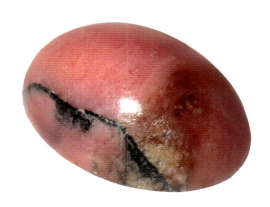

「バラ」を意味するギリシャ語、「ロード」から名づけられ、明治時代に「ばら輝石」と訳されました。その後、「輝石」の仲間ではないとわかりましたが、名前はそのままになっています。大きなかたまりで見つかるので、カボションカット(p.92)や彫刻の素材になります。

ピンク色はマンガンという成分によるもので、よく見られる黒いすじはマンガンが酸化した部分です。まれに透明な赤い結晶が見つかりますが、不透明のものよりこわれやすく、ファセット(p.91)をつけづらい宝石です。日本でもマンガン鉱山で採れていましたが、現在は閉山しています。

ロードクロサイト　　　　Rhodochrosite

成分　$MnCO_3$　　色 ●●●○○

キズつきにくさ ★★★☆☆☆☆☆☆☆　こわれにくさ ★☆☆☆☆

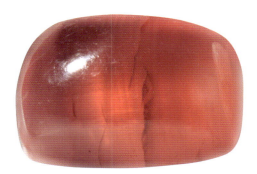

透明な結晶はルビーにも似た赤で、その名はギリシャ語で「バラ」と「色」を意味する「ロード」と「クロマ」に由来します。キズつきやすくしょうげきにも弱いので、ファセットをつけた石は数が限られています。ピンクと白のしま模様で半透明から不透明のロードクロサイトは、アルゼンチンで産出したことから「インカ・ローズ」とも呼ばれます。

ピンクや赤の色は、ロードナイトと同じくマンガンによるものです。日本語では、結晶がひし形であることから「菱マンガン鉱」と呼ばれています。またロードクロサイトは、マンガンを資源として採取するための鉱石鉱物の1つでもあります。

「インカ・ローズ」と呼ばれる不透明のロードクロサイト。

5　紫・ピンク

宝石(ほうせき)フォトクイズ

この宝石(ほうせき)の名前を答えよう。
無色・白・黒の宝石(ほうせき)のページを
読んで推理(すいり)しよう!

答えは122ページ

[無色・白・黒の宝石]

COLORLESS & WHITE & BLACK

ダイヤモンド　　Diamond

成分	C		色	🔴🟠🟡🟢🔵🟣🟤⚪
キズつきにくさ	★★★★★★★★★★		こわれにくさ	★★★☆☆

　たった1つの元素、炭素でできた唯一の宝石、ダイヤモンド。そのほとんどは人類の誕生よりもはるかむかし、10億年〜30億年前に結晶したものです。地上からの深さ150kmをこえるマントルで、炭素のみが集まってつくられます。

　地下深くで形成されたダイヤモンドは、25億年前から2千万年前に、とてつもない速度で上昇するマグマとともに地表近くへと運ばれました。このダイヤモンドを運んできたマグマは冷え固まって「キンバーライト」と呼ばれる岩石になり、ダイヤモンドを産出する鉱脈「キンバーライトパイプ」(p.68)を形成します。そして長い年月をかけて、ダイヤモンドを取り囲むキンバーライトが風化、侵食されると、ダイヤモンドが地上に姿を現すことがあるのです。

　現在では、採掘されたダイヤモンドのおよそ半分が宝飾用に、半分が産業用となっています。産業用はダイヤモンドを研磨するための「ダイヤモンド・パウダー」などに活用されています。科学的な研究が進み、近年は人工的に「合成ダイヤモンド」もつくられています。

マグマが冷えて固まった岩石「キンバーライト」に抱かれている、正八面体のダイヤモンド原石。

ダイヤモンドが明るく光り輝く理由

　ダイヤモンドは、最もかたい宝石です。表面を鏡のようにツルツルにみがき上げると、ダイヤモンドに当たった光は、鏡に反射するように強くきらめきます。

　また、ダイヤモンドに入った光は虹色に分かれるので、ダイヤモンドの輝きのなかにはさまざまな色を見つけることができます。さらに光は、ダイヤモンドのなかで反射をくり返すので明るく見えるのです。下の写真は、ダイヤモンドの原石にレーザー光線を当てたところです。緑色の光線が結晶のなかで反射をくり返すため、ダイヤモンドがなかから緑色に光っているように見えています。

ダイヤモンドの原石に入った光は、外ににげずに内部で反射をくり返すため、光っているように見える。

6 ― 無色・白・黒

ダイヤモンド　Diamond

ダイヤモンドと人類の出会い

　ダイヤモンドと人類の最初の出会いは、紀元前800年ごろのインドだったと考えられています。インドは長い間、ダイヤモンドの唯一の産地でした。ダイヤモンドはほかの宝石とともに、シルクロード（p.104）を通って他国へともたらされます。さらに、15世紀に「ダイヤモンドをダイヤモンドでみがく」技術が確立されると、輝きの美しさが特ちょうの宝石となりました。

　18世紀初めには産地がインドからブラジルへとうつります。ブリリアントカット（p.93）が生まれ、19世紀に動力が人力から蒸気へ変わると、より正確に多くのダイヤモンドをみがくことができるようになりました。そして、産業革命により豊かになった人々の需要にこたえるかのように、南アフリカで巨大なダイヤモンドの鉱床（p.72）が発見されたのです。

　採掘量が大はばに増えたこと、また動力が電力となり加工技術が発展したことに支えられて、ダイヤモンドは宝石産業の中心となりました。20世紀に入るとアフリカ、ロシア、オーストラリア、カナダでも鉱山が開発され、現在では年間1億カラット（20トン）をこえる産出量となっています。

ラウンドブリリアントカット

ペアシェイプブリリアントカット

マーキスブリリアントカット

エメラルドカット

ローズカット

アンカット・ダイヤモンド　〜そのままで美しい特別なダイヤモンド原石〜

　ダイヤモンドといえば、ブリリアントカットでキラキラと光り輝くイメージです。しかし、ダイヤモンドと人間の3000年ほどの歴史のなかで、ブリリアントカットが登場したのはここ300年あまりのこと。長くはカットや研磨をしなくても、そのままで美しい「アンカット」のものがダイヤモンドとして大切にされてきました。

　むかし、インドを支配していたマハラジャは、原石のままで美しいダイヤモンドを手元に置き、残りを交易に回したともいわれています。かたいからこそ、風化や侵食にさらされても、地中で育まれた結晶の形を保ったまま、わたしたちの目の前に存在できるのです。

　アンカット・ダイヤモンドは、仕上げられたものとちがい、1つ1つ見た目がちがいます。実際、ダイヤモンドの産地などの特ちょうは、みがいてしまうとわかりませんが、アンカットであれば見当をつけることができます。

　科学的な視点から見ても、ダイヤモンドは地球のひみつの手がかりを持つ神秘の石です。アンカット・ダイヤモンドは、ありのままの小さな結晶から、地球のキセキを感じ取れる宝物なのです。

1つとして同じものはない、さまざまな形、模様、質感。とくに整然とした完璧な形の正八面体は、5kgのお米にたとえると、一袋に1つまみか2つまみ、あるかないかのめずらしいもの。

6―無色・白・黒

ダイヤモンド　　　Diamond

ファンシーカラー・ダイヤモンド

ダイヤモンドは、ほぼ炭素だけからできています。ほんのわずかなほかの成分や、炭素原子の並び方のゆがみによって、色がつくこともあります。

ピンク ピンク・ダイヤモンド

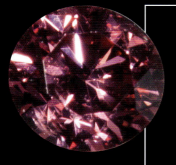

赤 レッド・ダイヤモンド

ピンクの色みは原子の並び方のゆがみによると考えられています。ピンク・ダイヤモンドのなかで、青みが強いとパープル・ダイヤモンドに、赤みがあるとレッド・ダイヤモンドになります。レッド・ダイヤモンドはファンシーカラー・ダイヤモンドのなかでもとてもめずらしいものです。

紫 パープル・ダイヤモンド

青 ブルー・ダイヤモンド

ホウ素という成分により青くなります。世界で最も有名な宝石の1つ、青い「ホープ・ダイヤモンド」は、17世紀にインドで発見され、シルクロードを旅したジャン＝バプティスト・タヴェルニエ（p.105）によってフランス王室にもたらされました。現在はアメリカのスミソニアン国立自然史博物館に展示され、多くの人々の注目を集めています。

🔍 ブラック・ダイヤモンド

ほかのダイヤモンドとはちがって、結晶のなかにインクルージョン（p.63）として、グラファイトやほかの鉱物が含まれるために、黒く見えます。

美しいブラック・ダイヤモンドは、近年、ジュエリーとして人気が高まっています。しかし、もともと色ムラが出やすいという特ちょうがあり、宝石となるものは多くはありません。

オレンジ　オレンジ・ダイヤモンド

窒素が含まれると黄色になります。カラーレス（無色）のダイヤモンドも、黄色っぽいものが多くあります。結晶構造（p.80）のゆがみが加わると、オレンジ色になります。

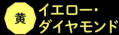

黄　イエロー・ダイヤモンド

緑　グリーン・ダイヤモンド

自然の放射線による原子の並び方のゆがみが、グリーン・ダイヤモンドの色のもとと考えられています。世界で最も有名なのは、ドイツの博物館に展示されている「ドレスデン・グリーン」です。41カラットのたぐいまれな天然のグリーン・ダイヤモンドで、インドで採掘されたといわれています。

6　無色・白・黒

ジルコン Zircon

成分	$ZrSiO_4$
キズつきにくさ	★★★★★★☆☆☆☆
色	●●●●●●●●○
こわれにくさ	★★☆☆☆

　地球最古の鉱物といわれるジルコン。結晶にわずかに含まれる成分を手がかりに年代を測定したところ、44億年前にできたジルコンが見つかっています。さまざまな色があり、ダイヤモンドのような虹色の輝きを持っています。

　1990年代の初めごろまでは、ダイヤモンドの代わりに使われる宝石の代表でした。日本では赤、オレンジ、黄色のジルコンが「風信子石」と呼ばれていました。天然の原石は茶色っぽいものが多く、加熱によって、青や無色にすることができます。しかし、天然の色でも加熱の色でも、長い時間が経つと色あせたりくすんだりします。これはジルコンの結晶に含まれる自然の放射性を持つ成分が、結晶構造（p.80）を少しずつ変化させてしまうためです。

　ダイヤモンドとの大きなちがいは、光を2方向に曲げる性質です。カットされたジルコンをよく見ると、反対側の稜線（面と面が接している辺）が二重です。ダイヤモンドは稜線がきれいな1本なので、見分けるポイントになります。

いくつかの面と面の間の線が、二重に見えているジルコン。

紫　パープル・ジルコン

赤　レッド・ジルコン

オレンジ　オレンジ・ジルコン

黄　イエロー・ジルコン

緑　グリーン・ジルコン

青　ブルー・ジルコン

ヘマタイト　　　　　　　　　　　　　　　Hematite

成分	Fe_2O_3	色	🔴⚪⚫
キズつきにくさ	★★★★☆☆☆☆☆☆	こわれにくさ	★★☆☆☆

手 に取るとずっしりと重く、独特の黒光りが印象的なヘマタイト。粉にすると赤くなるので、4万年前の洞窟に描かれた壁画でも、絵の具として使われていたことがわかっています。ギリシャ語で「血」を意味する言葉「ヘマ」から名づけられました。

　成分の70％が鉄で、ほとんどが工業用の鉄鉱石として採掘されています。そのうち美しいものが宝石としてあつかわれ、カボションカット（p.92）のほか、彫刻の素材にもなっています。原石は、黒光りしているところと、表面の鉄が酸化して赤くなっているところがあります。

オブシディアン　　　　　　　　　　　　Obsidian

成分	SiO_2 ほか	色	🔴🟠🟡🟢🔵🟤⚪⚫⚫
キズつきにくさ	★★★★★☆☆☆☆☆	こわれにくさ	★☆☆☆☆

オ ブシディアンは、天然のガラスです。特別な成分のマグマが急速に冷やされてできます。透明度はさまざまで、灰色から黒いものがほとんどです。白い雪のような結晶を取り込んだものは「スノーフレーク・オブシディアン」と呼ばれます。

　オブシディアンを割ると、するどい刃がつくれます。むかしの人々は、ナイフや矢じりに加工して使っていました。日本でも、旧石器時代から使われていたようです。産地からはなれた場所の遺跡から発見されることがあり、むかしの人の移動やモノの取引を調査する手がかりになっています。

6 無色・白・黒

パール（真珠） — Pearl

成分	$CaCO_3$
キズつきにくさ	★★☆☆☆☆☆☆☆☆
こわれにくさ	★★★☆☆

色：ピンク・赤・オレンジ・黄・緑・青・紫・茶・白・グレー・黒

生物の営みから授かった宝石、真珠。美しい独特の光沢は、貝の体でつくられる物質が層をなして生まれます。みがいて美しさを引き出す鉱物の宝石とはちがって、真珠は貝のなかから見つかったそのときから輝いている宝石です。

1900年前後に養殖の技術ができるまで、真珠は海や川で貝のなかから偶然見つかる、とてもめずらしいものでした。世界各地で古くから大切にされ、クレオパトラが真珠を酢にとかして飲んだという伝説が残っています。日本でも5000年以上前から採取され、奈良時代の『万葉集』や『古事記』、平安時代の『竹取物語』にも登場します。

天然真珠は産出が減ってしまい、今ではむかしのジュエリーなどでしか楽しむことができません。現在、販売されている真珠のほとんどは、人間が養殖した貝に真珠の芯になる核を入れ、真珠層がつくられるのを待つ「養殖真珠」です。真珠貝の種類によって、色みや大きさが異なります。

アコヤ養殖真珠
日本での養殖が盛んな真珠。アコヤ貝はほかの真珠貝に比べて小ぶりで、直径2〜10mmくらいと小さめ。水温が低いところで養殖されるため、テリが強く美しい。

クロチョウ養殖真珠
クロチョウ貝による養殖真珠。1970年代からタヒチで生産が始まった。黒のほかに、「ピーコック」と呼ばれるグリーンの色みのものがある。

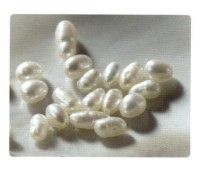

淡水養殖真珠
イケチョウ貝など淡水にすむ二枚貝による養殖真珠。大きさ、色、形はさまざま。

シロチョウ養殖真珠
シロチョウ貝による養殖真珠。直径10mm以上の大粒で、シルバーやゴールドの色み。

生物由来の宝石

Organics

宝石の多くは地球が生み出す鉱物ですが、動物や植物によって生み出されるものもあります。日本では真珠やさんごのほか、べっこうや象牙、こはくといった生物由来の宝石が長く大切にされてきました。帯留めやかんざしなど、和装のジュエリーに多く見られます。現在では、種の多様性を守るワシントン条約で採取が制限、禁止されているものもあり、取引の量は減っています。

アンバー（こはく）

木の樹脂が化石化してできます。多くは約2500万年から6000万年前の古さです。絶滅した植物や昆虫が閉じ込められたものもあり、小さなタイムカプセルのようです。

ジェット

水中にしずんだ樹木が化石化した石炭の一種。燃やすことができ、こすると静電気を帯びるため、古代から魔除けにも使われました。やわらかくあつかいやすいので、新石器時代には装飾品がつくられていました。

べっこう

べっこうは、ウミガメの一種のタイマイの甲羅です。日本ではかんざしやメガネのフレームに使われていましたが、現在はタイマイの貿易禁止のため、プラスチックで代用されています。

アイボリー（象牙）

ゾウのキバです。ワシントン条約で取引が規制されたため、現在は、マンモスの化石のキバやセイウチのキバなどが象牙として売られています。

宝石フォトクイズ

この宝石の名前を答えよう。
ふしぎな光の宝石のページを
読んで推理しよう!

答えは122ページ

7 [ふしぎな光の宝石]

アレキサンドライト 62ページ

サンストーン 66ページ

ムーンストーン 66ページ

キャッツアイ 62ページ

スター・ルビー 63ページ

ボルダー・オパール 65ページ

ファイア・オパール 65ページ

ブラック・オパール 64ページ

スター・サファイア 63ページ

ライト・オパール 65ページ

PHENOMENA

アレキサンドライト　　Alexandrite

成分 $BeAl_2O_4$　　色

キズつきにくさ ★★★★★★★★☆☆　　**こわれにくさ** ★★★★☆

同じペンダントを光を変えて撮影したもの。

カ ラーチェンジ効果（p.84）を持つ宝石の代表、アレキサンドライト。太陽光では緑、白熱光では赤く輝くので「昼はエメラルド、夜はルビー」といわれます。クリソベリルという鉱物のなかで、わずかにクロムという成分を含む透明なアレキサンドライトは希少です。色の変化がはっきりとわかるものが高く評価されます。

1830年代にロシアのウラル山脈で発見されました。ロシア皇帝に献上され、皇太子であったアレクサンドル2世にちなんで名づけられました。ロシア産のものは採りつくされてしまいましたが、スリランカやブラジルなどから産出されています。

キャッツアイ　　Cats-eye

成分 $BeAl_2O_4$　　色

キズつきにくさ ★★★★★★★★☆☆　　**こわれにくさ** ★★★★☆

ド ーム状にみがいた宝石に光を当てると、表面に光の帯が浮かび上がる現象を「シャトヤンシー（キャッツアイ効果）」といいます。宝石を動かすと帯も動き、ネコの瞳が丸くなったり細くなったりするのと似ています。宝石のなかに、細い針状の結晶や空洞が平行に並んだときに起こります。通常、キャッツアイといえば、クリソベリルのキャッツアイのことですが、トルマリンやエメラルドなどにも見られることがあります。

帯に垂直に光を当てると、光に近いほうがはちみつ色、遠いほうがミルク色に見える様子は、「ミルク・アンド・ハニー」と呼ばれます。

「シャトヤンシー」の「シャ」は、フランス語で「ネコ（Chat）」という意味の言葉。

スター・ルビー／スター・サファイア

成分 **Al₂O₃**

色

キズつきにくさ ★★★★★★★☆

こわれにくさ ★★★★☆

ルビーやサファイアの原石が見つかると、まず透明度の高いものは、ファセット（p.91）をつけたカットに仕上げられます。そして半透明のものは、「シルク・インクルージョン」といわれる細いルチルの結晶が、宝石のなかに120度の角度で交わって入っているかを確認します。シルク・インクルージョンがほどよく入っていると、カボションカット（p.92）にして「スター効果」が出るように仕上げます。

スター効果とは、ドーム状にみがき上げた宝石に光を当てると、交差する線が浮かび上がる現象です。原石をけずりすぎず、色がよく見えてスターがはっきりと真ん中に出るようにみがき上げるのは、とてもむずかしいことです。スターをよく見るためにペンライトを当ててライトを動かすと、スターも動きます。色がよくスターがきれいに見えて、より透明感のあるものが宝石として高く評価されます。

スター効果は、「星彩効果」や「アステリズム」とも呼ばれます。クォーツやスピネルにも見られる現象です。

スター・ルビー

スター・サファイア

「インクルージョン」ってなに？

インクルージョンとは、宝石の結晶のなかに含まれるほかの鉱物や空洞、小さなひびなどです。キャッツアイ効果やスター効果を生むもの、宝石の種類や産地によって独特で鑑別（p.114）に役立つもの、加熱処理（p.87）の有無を知る手がかりになるものもあります。

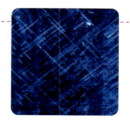

サファイアのシルク・インクルージョン。120度で交わる無数のルチルが見える。

オパール　Opal

成分　$SiO_2 \cdot nH_2O$

色　●●●●●●●●●●●

キズつきにくさ　★★★★★☆☆☆☆☆

こわれにくさ　★☆☆☆☆

　ローマ人から「貴重な石」という名をあたえられたオパール。アラビアの伝説では、「天からカミナリとともに落ちてきた」といわれていました。1つの石のなかにさまざまな色が見えて、動かすと色や模様が変わるので、「万華鏡」にもたとえられます。

　オパールは、乾燥剤のシリカゲルとほぼ同じ成分のシリカが、シリカゲルよりもずっと小さな丸い粒できれいにびっしりと並んで積み重なってできています。すき間には水分があります。オパールは空気中の水分を取り込むことも、空気中に水分を出すこともできます。乾燥しすぎるとひびが入ることがあります。

　オパールには、虹色の光が見えるものと、そうでないものがあります。虹色の光が見えるものを「プレシャス・オパール」、見えないものを「コモン・オパール」といいます。オパールの虹色の光は、「プレイ・オブ・カラー（遊色効果）」と呼ばれます。プレイ・オブ・カラーを持つ品質の高いオパールは数が少なく、まさしく貴重な宝石です。

雨季に水位が上がる地下水が、岩石のすき間にオパールの成分を運び込み、乾季になると成分だけが残され、少しずつたまってオパールになる。

原石

ブラック・オパール

地色が黒や濃い青で、輝きの強いプレイ・オブ・カラーがモザイクのように現れます。大きくはっきりとしたパターンは「ハーレクイン」と呼ばれます。オーストラリアで発見され、1903年から取引されるようになりました。

横から見ると、下に母岩がついたままのボルダー・オパール。

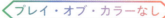

ライト・オパール

透明度の高い「クリスタル・オパール」や、半透明で白っぽい地色のオパールです。ローマ時代からハンガリーで採掘されて、19世紀に流行した「アール・ヌーヴォー・ジュエリー」にたくさん使われています。

ボルダー・オパール

裏側に母岩を残して仕上げたオパールで、形はさまざまです。ボルダーは英語で「大きな丸い石」のこと。オーストラリアのクイーンズランド州で丸い石のなかから見つかることから名づけられました。

◆ プレイ・オブ・カラーあり　　　◆ プレイ・オブ・カラーなし

ファイア・オパール

地色が赤、オレンジ、黄色で、透明から半透明のオパールです。プレイ・オブ・カラーがあるものはカボションカット（p.92）に、少ないものやまったくないものはファセット（p.91）をつけてカットされます。

7 ふしぎな光

ムーンストーン　　Moonstone

成分	$KAlSi_3O_8$	色	○●
キズつきにくさ	★★★★★★☆☆☆☆	こわれにくさ	★☆☆☆☆

ヒンドゥー教の神話で、「月の光が固まったもの」と信じられてきたムーンストーン。そのため、ムーンストーンは古代ローマやギリシャでも「月の女神」と結びつけられました。西暦100年ごろのローマ時代にはジュエリーに使われた、歴史の古い宝石です。19世紀後半のアール・ヌーヴォー・ジュエリーなど、アンティーク・ジュエリーにもよく使われています。

地殻（p.68）にある鉱物のなかで最も多い長石（フェルスパー）のグループの宝石です。青白くゆらめく光は「アデュラレッセンス」と呼ばれる現象で、2種類の長石が交互に重なり合うことで生まれます。

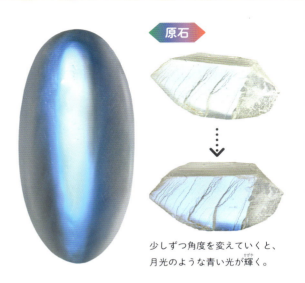

原石

少しずつ角度を変えていくと、月光のような青い光が輝く。

サンストーン　　Sunstone

成分	$NaAlSi_3O_8$※	色	●●●
キズつきにくさ	★★★★★★☆☆☆☆	こわれにくさ	★☆☆☆☆

長石は地殻にたくさんありますが、そのなかでも、特別な美しさを持つものだけが宝石とされます。その1つがサンストーンです。結晶のなかに鉱物の一種の銅の平らな結晶が散らばっていて、動かすとキラキラ光る「アベンチュレッセンス」が特ちょうです。

ムーンストーンやサンストーンは、その宝石特有の現象によって名前がつけられているので、長石グループのなかのいくつかの鉱物に分類されます。

ほかに、結晶の面に沿って青い光が見られるラブラドライト、青緑色が特ちょうのアマゾナイトなども、長石グループの宝石です。

アマゾナイト

美しい青緑色のアマゾナイト。和名は「天河石」。

原石

ラブラドライト

青い光は「アゲハチョウの羽」にもたとえられる。

※いちばん初めに見つかったサンストーンののの鉱物種「オリゴクレース」の成分を表示しています。サンストーンは、ほかの種類の長石のラブラドライトやオーソクレースでも見つかっています。

第 2 章
宝石のひみつ

上からルベライト、サファイア、ツァボライト・ガーネット

1 誕生のひみつ

1 │ 宝石はどこで生まれるの？

　宝石が誕生する場所は、大きく「地表」「地下の浅いところ」「地下の深いところ」「地下のとても深いところ」の4つに分けられます。「地表」以外でできる宝石のほとんどは、地球の内部で生まれる鉱物です。わたしたちの手の届く地表に出てくることは、とても少ないのです。

堆積岩

火成岩

キンバーライトパイプ

変成岩

地下の深いところにできる宝石

ルビー、サファイア、トルマリンなどは深さ約30〜60kmの地下で生まれます。地下の熱や圧力の働くときやマグマが冷え固まるとちゅうで、宝石の成分が出会います。結晶が育つ温度や圧力が続き、ゆっくりと冷え固まると宝石になるのです。

地殻

ルビー

サファイア

トルマリン

地下のとても深いところにできる宝石

ペリドットやパイロープ・ガーネットは地下約100kmのあたりで、ダイヤモンドは地下約150kmからさらに深い、とても高い温度と圧力がある場所で生まれます。マグマの上昇によって地表近くへ運ばれて、人間と出会う宝石です。

マントル

ダイヤモンド

ペリドット

パイロープ・ガーネット

※ダイヤモンドは、矢印の先のさらに地下深くで生まれる。

宝石は、自然の力で生まれます。地球の内部では、熱や圧力が伝わり、水やマグマなどがゆっくりと動いています。このような地球の営みが、特別に組み合わされたときだけ、宝石は生まれるのです。では、宝石は地球のどこでどのように生まれ、人間と出会うのでしょうか？

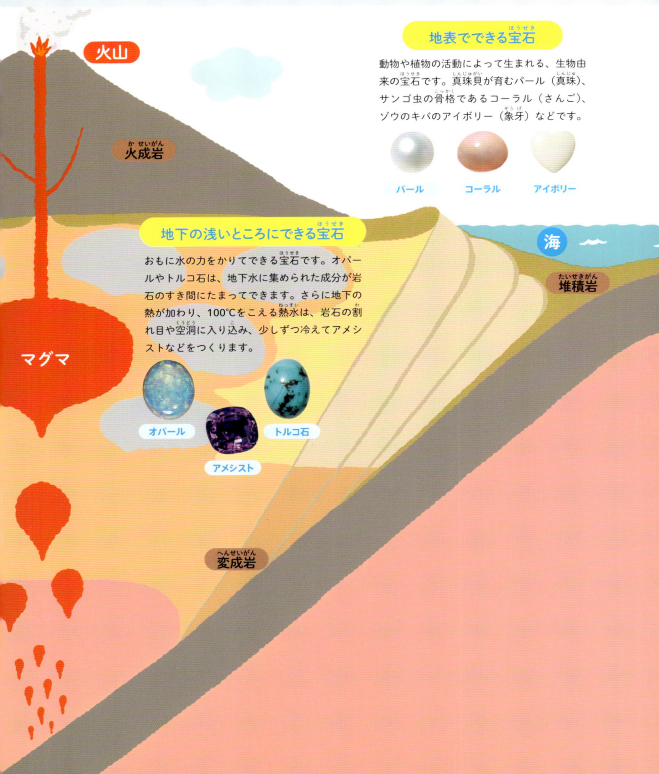

火山

火成岩

地表でできる宝石

動物や植物の活動によって生まれる、生物由来の宝石です。真珠貝が育むパール（真珠）、サンゴ虫の骨格であるコーラル（さんご）、ゾウのキバのアイボリー（象牙）などです。

パール　　コーラル　　アイボリー

地下の浅いところにできる宝石

おもに水の力をかりてできる宝石です。オパールやトルコ石は、地下水に集められた成分が岩石のすき間にたまってできます。さらに地下の熱が加わり、100℃をこえる熱水は、岩石の割れ目や空洞に入り込み、少しずつ冷えてアメシストなどをつくります。

オパール　　アメシスト　　トルコ石

海

堆積岩

マグマ

変成岩

※地殻やマントル、火成岩や変成岩、堆積岩などの岩石の解説は70〜71ページ。

2 宝石を生み出す地球の力

地球は約46億年前、宇宙空間にただよう小さな星たちが集まり、ぶつかり合って生まれました。できたての地球は、ドロドロにとけた熱いマグマのかたまりだったと考えられています。現在、地球の表面は冷えて固まっていますが、内部はまだとても熱い状態です。

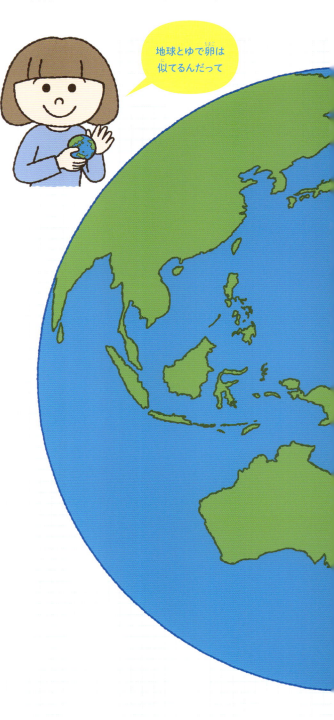

地球とゆで卵は似てるんだって

地球はゆで卵？

みなさんは、自分たちがすむ地球の内部はどうなっているか、知っていますか？ なんと地球は、ゆで卵に似ているそうです。

地球は直径1万2742kmの球です。その内部は、大きく3つに分けられます。ゆで卵のカラにあたる地殻は、地表から30km～60kmほどしかないうすい層です。白身にあたる部分がマントルで、地球の体積の80％をしめています。中心の黄身にあたる部分が核です。68～69ページにある、「地下の浅いところ」と「地下の深いところ」は「地殻」、「地下のとても深いところ」は「マントル」にあたります。

地球内部で生まれる岩石

地下のとても深いところ「マントル」には、ドロドロした熱いマントルが、ゆっくりと上下をめぐるように動き続けているところがあります。この動きを「マントル対流」といいます。マントル対流は、大陸を動かしたりマグマをつくったりする地球の営みと深く関わっています。この地球の営みのなかで、宝石を含むさまざまな鉱物が生まれ、鉱物が集まったかたまりである岩石ができます。

マグマが冷え固まってできる岩石が「火成岩」です。火成岩もほかの岩石も、地表に出て風雨にさらされると、やがて砂粒となり、川に運ばれて海や湖の底にたまっていきます。これが固まったものを「堆積岩」と呼びます。また、どのような岩石も地下にしずみ込んだり、マグマが近よってきたり、しょうとつする大陸にはさまれたりして、高温や高圧にさらされると、成分やつくりが変化してそれまでとはちがった「変成岩」になります。

1 誕生のひみつ

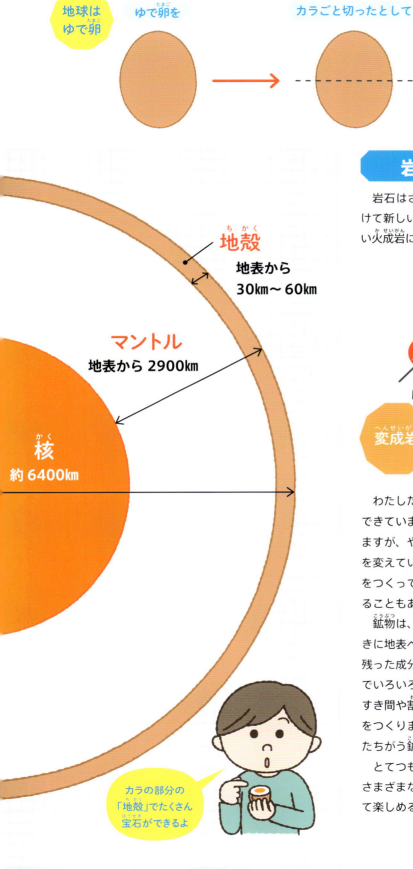

岩石のサイクルと宝石

岩石はさらに地下深くへ引きずり込まれると、とけて新しいマグマになり、また冷え固まると、新しい火成岩になります。これが「岩石のサイクル」です。

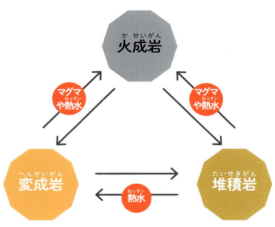

わたしたちが生活する地球の表面、地殻は岩石でできています。岩石はかたく変わらないように見えますが、やはり地球の営みのなかで、ゆっくりと姿を変えているのです。岩石が姿を変えるとき、岩石をつくっている鉱物も姿を変え、ちがう鉱物に変わることもあります。

鉱物は、この岩石のサイクルのなかで生まれ、ときに地表へ姿を現します。マグマが冷え固まるとき、残った成分が集まったり、マグマの熱と地下の圧力でいろいろな成分をとかし込んだ「熱水」が地下のすき間や割れ目に入って冷えたりして、新しい鉱物をつくります。そして地下の熱と圧力によって、またちがう鉱物が生まれます。

とてつもなく長い時間をかけたこの営みのなかで、さまざまな鉱物が誕生し、美しく、じょうぶで、見て楽しめる大きさがあるものだけが宝石になります。

3 | 宝石の集まるところ「鉱床」

　人間はロケットに乗って、地表から38万kmはなれた月まで行くことができますが、地下を掘り進めた最長記録はたった12km。ルビーやサファイアが生まれるのは地下30～60km、ダイヤモンドは地下150kmをこえる深さですから、宝石が生まれたところをたずねることはできません。では、宝石と人間はどのようにして出会うのでしょうか？

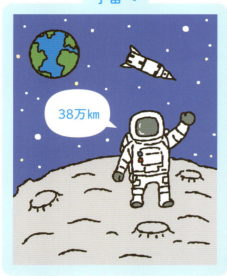

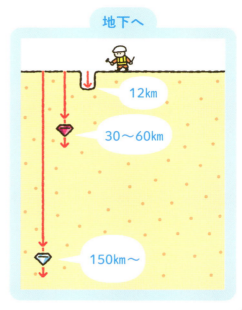

一次鉱床の跡地

南アフリカのキンバリーにある採掘場跡「ビッグホール」。1871年にダイヤモンドの鉱床が発見された。マグマが地表近くに運んできたダイヤモンドを、穴を掘って直接掘り出した。

風化作用

宝石を運んできた岩石は地表へ出ると、気温の変化や風雨のはたらきによってもろくなり、表面からボロボロになる。

1 誕生のひみつ

地下で生まれた宝石は、どのようにして人間と出会う？

たくさん宝石が見つかるところを、「鉱床」といいます。地下深くで生まれた宝石は、地表に向かってのぼっていくマグマに巻き込まれたり、宝石を含む地層が押し上げられたりして地表近くへやってきます。そのままでは人間の目にふれることはありませんが、穴を掘って見つけられることもあります。またアメシストやオパールのように、地下の浅いところで生まれた宝石も、穴を掘って見つけることができます。このように発見される鉱床を、「一次鉱床」と呼びます。

ときに自然は、水や風の力で地表をけずり、宝石を選び分け、集めてくれます。下の図のようにしてできた「宝石だまり」は、その上を土砂がおおってしまっても、一次鉱床のような深い穴を掘らずにたどり着けます。このようにしてできた鉱床を、「二次鉱床」と呼びます。

鉱山やその近くでは、鉱山で働く人たちが、自然と同じように水の力をかりて、宝石を選んで集める作業をします。

スリランカで行われている宝石を選ぶ作業の様子。砂のかたまりをざるに入れ、川の水ですすぐようにして原石を集めている。

新潟県糸魚川市にあるヒスイ海岸。手前の石の上に置かれているのは、ひすいの原石。

二次鉱床のつくられ方

運搬作用
宝石は、けずり取られた岩石といっしょに土砂となって、川の流れによって運ばれていく。

堆積作用
ほかの土砂よりもかたい宝石は、くだけたりすり減ることが少ない。また重い宝石は、軽い土砂とはちがい、流されにくい。そのため、重い宝石だけがしずんで集まり、川や海の底の特定の場所に積み重なって、「宝石だまり」がつくられる。

侵食作用
ボロボロになった岩石が、川の流れなどによって、少しずつけずり取られていく。

宝石は地球のひみつを知っている

知って価値アリ！ 1カラットコラム ①

宝石は、地球上のいろいろな場所で、いろいろな種類のものが採れます。なかには、とてもはなれた場所なのに、とてもよく似た同じ種類の宝石が採れることがあります。

たとえば、アフリカのマダガスカルとインド洋のスリランカは遠くはなれていますが、よく似たサファイアが採れます。なぜだと思いますか？ その「地球のひみつ」にせまってみましょう。

約2億5000万年前の地球の姿

科学者のなかには、特ちょうの似た宝石が採れる場所は、大むかしに近い場所にあったと考える人がいます。わたしたちが暮らす地球の表面は、1年に数cmずつ動いていることがわかっています。研究によると、現在大きく6つに分かれている大陸は、合体したり分かれつしたりをくり返しているそうです。今の世界の形は、1つにつながっていた大陸が約2億5000万年前から少しずつ割れて動き、でき上がったと考えられています。

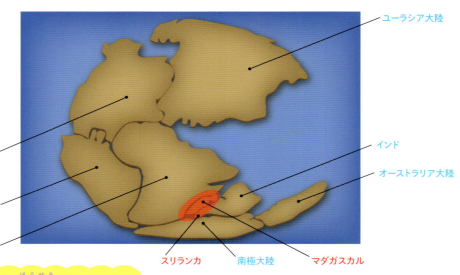

約2億5000万年前
このころの地球には、大きな大陸が1つあるだけだった。大陸がいくつかに分かれはじめると、アフリカ大陸とユーラシア大陸の間に海が広がっていった。

- 北アメリカ大陸
- 南アメリカ大陸
- アフリカ大陸
- スリランカ
- 南極大陸
- マダガスカル
- インド
- オーストラリア大陸
- ユーラシア大陸

大陸が動くと宝石も動く

今から6億年～5億年ほど前、少しずつ集まって2つの大きなかたまりになっていた大陸が合体しました。大陸同士がぶつかると、その周辺では地下の温度と圧力が上がり、鉱物の成分やつくりが変化して宝石を含む新たな鉱物が生まれます。そこでできた宝石は、2億5000年ほど前に割れて動く大陸に乗って運ばれ、はなればなれになったのです。このように、現在は遠くはなれたマダガスカルとスリランカで似たような特ちょうを持つ宝石が見つかることを説明できます。

大むかしに生まれた宝石は、自然の力で地表に現れ、発見されるものもあれば、その後の地殻の変動によって地下へとしずみ、ほかの鉱物へと生まれ変わったもの、いまだ見つけられずに眠っているものもあるでしょう。わたしたちは、何億年も前の地球を見ることはできません。しかし、そのとき生まれた宝石を手にして、調べることができます。宝石を調べることが、まだまだ謎の多い「地球のひみつ」を研究するカギになるのです。

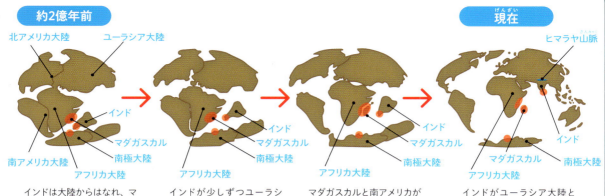

約2億年前			現在
インドは大陸からはなれ、マダガスカルはアフリカ大陸とくっついている。	インドが少しずつユーラシア大陸に近づく。南北アメリカの一部がはなれる。	マダガスカルと南アメリカがアフリカ大陸から完全にはなれる。	インドがユーラシア大陸とくっつく。北アメリカがはなれ、オセアニアができる。

大陸同士がぶつかる！

大陸同士がぶつかって合体するとき、その一帯の岩石は熱や圧力の影響を受けるので、変成岩に生まれ変わり、さまざまな宝石を含む新しい鉱物がたくさん生まれます。

世界で最も高いエベレスト山があるヒマラヤ山脈は、ユーラシア大陸にインドがぶつかり押し上げられてできました。ヒマラヤ山脈一帯は、宝石の宝庫です。アフガニスタンとパキスタンではエメラルド、インドとパキスタンの国境付近ではサファイア、ミャンマーではルビーやひすいが産出します。

インドがユーラシア大陸にぶつかり、ヒマラヤ山脈ができた。

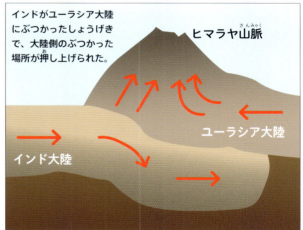

インドがユーラシア大陸にぶつかったしょうげきで、大陸側のぶつかった場所が押し上げられた。

ダイヤモンドは地下のひみつを教えてくれる

大むかしの地球を見ることができないように、地球内部の今の様子をのぞくこともできません。それでも、さまざまな方法で研究してわかったのが「ゆで卵」のような様子です。そして、さらに地球のひみつにせまるための研究方法の1つが地下150kmよりも深くから地表にやってきたダイヤモンドを調べることです。

地下深くで生まれたダイヤモンドは、地上へと一気にふき出すマグマによって地表近くへ運ばれると考えられています（p.68）。ダイヤモンドの結晶や、そのなかに取り込まれている地下のとても深くで生まれたほかの鉱物は、たどり着くことのできない地球内部の様子を教えてくれる、重要な研究材料なのです。

2 結晶のひみつ

1 | 宝石の原石を観察しよう！

掘り出したままの宝石を「原石」といいます。形を整えたりみがいたりする前の状態です。まずは、いくつかの特ちょう的な原石を観察して、気づいた点を挙げてみましょう。

ダイヤモンドの原石

形が整ったダイヤモンドの原石は、正八面体をしています。表面に見られる三角形の模様は、「トライゴン」と呼ばれます。原石が地下約200kmからマグマに乗り、すごいスピードで地表近くへ運ばれるときに刻まれるといわれています。

- 三角形の模様がついているよ
- ツヤツヤしている
- 色はなくて、透明だ
- ピラミッドをくっつけたような正八面体
- 虹色に光っているところがある

実際の原石の大きさ

🔍 ダイヤモンドの原石の形はいろいろ

みがいて仕上げられた宝石には同じ大きさや形のものがありますが、自然が生み出した原石には、まったく同じものはありません。

立方体

正八面体

十二面体

連晶

マクル（双晶）

不定形

ほとんどの宝石は天然の結晶です。結晶とは、原子が結びついて規則的に並んだもので、身近な結晶の代表は雪（氷）と食塩。雪の結晶は六角形ですが、食塩の結晶はサイコロのような形（立方体）が多いです。では、宝石の結晶にはどのような特ちょうがあるのでしょうか？

サファイアの原石

両方にきれいにとがった形（両錘形）は、サファイアの原石の特ちょうです。水に流されて転がる間に、角がすり減ったり割れたりするものもあります。

- おもしろい形
- 決まった方向にすじがある
- 青色が見える
- 透明なところと、透明じゃなくてなにか入っているようなところがある
- 実際の原石の大きさ

🔍 これもサファイアの原石

割れたりすり減ったりすると、小石のように丸っこい原石になるよ。

アメシストとロッククリスタルの原石

色がちがいますが、同じ「クォーツ（石英）」という鉱物の結晶です。とがっている部分の形が似ていますね。

アメシスト

- 色にムラがあるね
- 途中で色が変わっているね
- ニョキニョキと生えてくるみたい
- まっすぐな六角形の柱の形
- 氷のようにすきとおっているところと、くもっているところがあるね

ロッククリスタル

🔍 水晶の仲間

溶岩は冷えて固まるとき、最後のほうで、なかに穴のような空間を残して固まることがあります。この穴を「ジオード（晶洞）」と呼び、アメシストやロッククリスタルなど、水晶の仲間の結晶が生まれます。手のひらに収まるくらいのものから、人が入れるほど大きなものまで大小さまざまです（世界最大のジオードは、高さ3m、重さ14トン）。

2 | 宝石はなにでできているの？

宝石は地球のかけらです。ほかの鉱物と同じように、地球の成分からできています。どの成分がどのような割合で入っているのかを表すのが、「化学組成」です。

地球の成分

地球のおもな成分は、鉄、酸素、ケイ素、マグネシウムと考えられています。そのうち鉄のほとんどは、地球の中心部である「核」に集まっています。宝石の多くは、地下の浅いところと地下の深いところの、「地殻」で生まれます。地殻はかたい岩石となっていて、さまざまな「元素」が含まれています。

元素とは、すべてのものの基本成分です。もちろん、人体の成分も元素で表すことができます。現在、元素は118種発見されていて、そのうち90種は自然での存在が確認されています（元素周期表／p.118）。

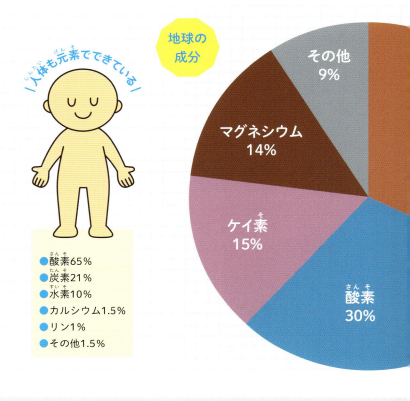

「人体も元素でできている」
- 酸素65%
- 炭素21%
- 水素10%
- カルシウム1.5%
- リン1%
- その他1.5%

地球の成分
- その他 9%
- マグネシウム 14%
- ケイ素 15%
- 酸素 30%

🔍 成分で分ける 鉱物の分類

地球上には、植物がおよそ250万種、動物がおよそ140万種、そのうち昆虫が100万種、魚類が3万種、鳥類が1万種、ほ乳類が5500種見つかっていますが、鉱物は5800種ほどです。そのなかで、現在はば広く流通している「宝石」といわれるものはわずか50種程度、希少石を含めても約100種にすぎません。

鉱物は、含まれる成分と原子の並び方によって分類されます。近年、分析技術の発達により、年間100種をこえる新しい鉱物が発見されています。

元素鉱物

ほとんどの鉱物はいくつかの成分からできていますが、元素鉱物は1つの元素だけが主成分となっています。炭素が主成分のダイヤモンドと石墨、金が主成分の自然金や、銀が主成分の自然銀などがあります。

↑ダイヤモンド

酸化物鉱物

酸素と結びついたほかの金属を主成分とする鉱物です。サファイアやスピネルなどの宝石も酸化物鉱物です。

↑スピネル

2 結晶のひみつ

地殻の成分

宝石は、地殻にある元素が特別な条件で結晶して生まれます。元素の組み合わせがなかなかないものや、人の手の届くところにめったに姿を現さない宝石は、よりめずらしい宝石になります。宝石に入っている成分とその割合は「化学組成」で表すことができます。たとえばロッククリスタルは、ケイ素 (Si) と酸素 (O) が 1：2 の割合で結びついているので「SiO_2」と表します。

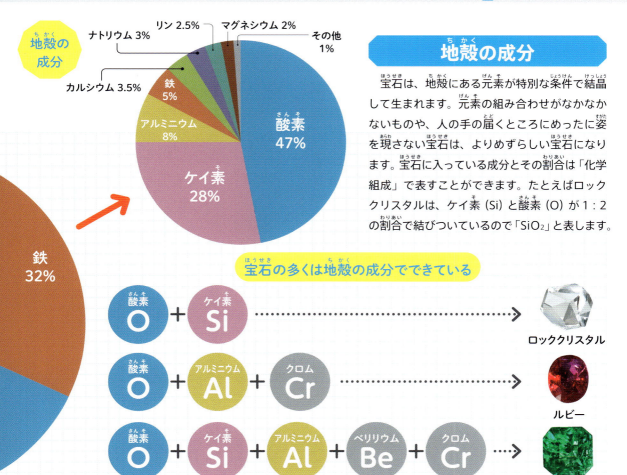

地殻の成分
- 酸素 47%
- ケイ素 28%
- アルミニウム 8%
- 鉄 5%
- カルシウム 3.5%
- ナトリウム 3%
- リン 2.5%
- マグネシウム 2%
- その他 1%

（全体円グラフ：鉄 32%）

宝石の多くは地殻の成分でできている

- O + Si ⇒ ロッククリスタル
- O + Al + Cr ⇒ ルビー
- O + Si + Al + Be + Cr ⇒ エメラルド

硫化物鉱物

金属が硫黄と結びついてできます。光沢があり色もさまざまですが、やわらかく宝石にはなりません。多くは金属の鉱石として役立ちます。

パイライト ➡

ケイ酸鉱物・ケイ酸塩鉱物

ケイ素と酸素でできている石英や、さらにほかの元素が結びついた鉱物です。エメラルドやトパーズ、ガーネットなど、多くの宝石があります。

⬆ **トパーズ**

硫酸塩鉱物

硫黄と酸素が結びついた硫酸と、ほかの元素が結びついた鉱物。最も代表的なものは、チョークになる石こうです。

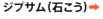
ジプサム(石こう) ➡

ハロゲン化物鉱物

ハロゲン元素（塩素、フッ素、ヨウ素など）が金属と結びついている鉱物です。フローライト（蛍石）のほか、岩塩もハロゲン化物鉱物です。

フローライト ➡

炭酸塩鉱物

炭素と酸素からなる炭酸塩イオンを含む、やわらかい鉱物がほとんどです。鍾乳洞をつくる石灰岩のカルサイトや、緑色があざやかなマラカイトが炭酸塩鉱物です。

カルサイト ➡

3 | 宝石の結晶はどうやってできる？

　宝石の結晶は、ドロドロにとけたマグマやさまざまなものをとかし込む地中の熱水などから、宝石に特有の成分（元素）の原子が集まり、規則正しく並ぶことをくり返して大きくなります。この原子の並び方を「結晶構造」といいます。結晶構造は、原子同士の結びつき（化学結合）の並び方でもあるので、結晶の形やかたさ、輝き、色などの性質に深く関わっています。

同じ成分でも結晶構造がちがうと？

　たとえば、炭素のみでできた鉱物には、ダイヤモンドやグラファイト（石墨）などがあります。2つの鉱物の成分は同じで炭素だけですが、結晶構造がちがっています。そのため、一方は宝石に、もう一方は鉛筆の芯になるというように、それぞれにまったくちがう性質を持っているのです。

ダイヤモンド

ダイヤモンドの原石。かたくてツヤツヤしている。

地下深くのとてつもなく高い温度と高い圧力で、炭素同士が、立体的にたくさんの強い結合で結びつけられている。

ダイヤモンドは最もかたい鉱物なので、ダイヤモンドの粉を使ってみがき上げる。

グラファイト

「黒鉛」または「石墨」とも呼ばれる。手や紙にこすりつけると黒くなる。

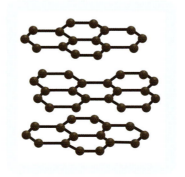

炭素が並んで紙のようなシート状になり、層になっている。層と層のつながりはゆるい。

鉛筆で字が書けるのは、グラファイトの層がはがれて、紙にくっついていくから。

2 結晶のひみつ

ちがう元素でも、結晶構造が同じだと？

結晶を拡大してみると、同じ形の積み木を積み上げるように、元素が規則的に並び、その並び方のパターンをくり返しています。元素がちがっても並び方が同じだと、結晶の形が同じになります。たとえばダイヤモンドとスピネルは、元素はちがいますが、並び方のパターンが同じで、どちらも正八面体の結晶になりやすいのです。

しかし、ダイヤモンドの原石にはいろいろな形があります。自然の環境はさまざまなので、同じ形の積み木を使って、ちがう形を組み立てられるように、いろいろな形があるのです。原石の結晶は、宝石の種類ごとに特ちょう的な形がいくつかあります。その特ちょうを知っていれば、原石の形を手がかりに、宝石の種類を識別することもできます。

ダイヤモンド

正八面体は、ピラミッドを2つ組み合わせたような形。同じ正八面体でも、1個1個、形や模様がちがう。

スピネル

中央のスピネルの原石は、ダイヤモンドと同じ正八面体が見てわかる。周りの原石は、割れたり欠けたりしているものもある。

雪の結晶はどうやってできるの？

鉱物の結晶は、時間をかけてその鉱物らしい形に成長します。雪の結晶は、空気中に蒸発している小さな水の分子がつながる（水の場合は「こおる」と呼ぶ）ことで生まれます。水の分子のつながりは六角形模様なので、水の粒がこおると六角形の氷の粒になります。

六角形の氷のつぶの角に、空気中の水蒸気が次々にくっついてこおりつき、雪の結晶は大きくなっていきます。ゆっくりこおると、基本の形である六角形になります。急速にこおると、細かい枝が生えたような、さまざまな美しい形をつくり出します。

代表的な雪の結晶の形。中心から細長い枝がのびているため、「樹枝六花」という名前がついている。

3 色のひみつ

1 モノの色が見えるしくみとは？

　真っ暗な部屋では、なにも見えません。わたしたちがなにかを「見る」には光が必要です。目は、モノに当たってはね返ってくる光、モノを透けてくる光、モノがみずから発する光を感知します。人間は、光の強弱を脳のなかで組み合わせ、明るさや色を感じてモノが見えるのです。

黄色の宝石

黄色以外の色は吸収され、黄色の光だけがはね返る。目から入った黄色の光は、赤と緑になって、脳で組み合わされ「黄色」になる。

黄色の宝石

赤と緑以外の色は吸収され、赤と緑の光だけがはね返る。脳は、赤と緑を組み合わせて、「黄色」を感知している。

🔍 「光の三原色」ってなんだろう？

　人間が感じる赤、緑、青の3つの光を「光の三原色」といいます。この3種類の光の強弱を目の細胞で受け取り、脳で組み合わせることによって、人間は色を感じています。光の三原色を組み合わせると、さまざまな色の光をつくり出すことができます。たとえば、赤の光に緑の光を合わせると、黄色い光になります。人間は、黄色の光だけを反射するものと、赤の光と緑の光を同時に反射するものを、どちらも黄色と感じるのです。

どうして少しちがう緑色なの？

　同じ緑色の宝石でも、エメラルドとグリーン・トルマリンでは色みがちがいます。エメラルドとグリーン・トルマリンでは、光に作用する成分や結晶のつくりがそれぞれちがうため、吸収する光も変わります。同じ成分でも、吸収する光がちがうこともあるので、色がちがう理由は複雑です。
　また、同じエメラルドでも産地によって色に特ちょうがあります。その土地ならではのわずかにまざった元素や、結晶が育った環境が、産地による色の個性を生み出すのです。

エメラルド

グリーン・トルマリン

宝石には、さまざまな色があります。同じ色でも、あざやかさ、濃さ、色のまざり方はそれぞれです。なかには、光の種類や見る角度によって色が変わるふしぎな宝石もあります。なぜ、宝石には、さまざまな色があるのでしょうか？

色のもととなるものってなに？

宝石の色は、その宝石に必ず含まれている成分によって決まったり、ほんの少し含まれることがある成分によって変わったりします。

たとえばマラカイトは、銅、酸素、炭素、水素でできています。このうち銅と結びついている酸素が「色のもと」になります。必ず含まれている銅と酸素の結びつき方によって色が決まるので、マラカイトは必ず緑色で、濃いうすいのちがいがあるだけです。

一方、ルビーとサファイアは、ほんの少し含まれる成分によって色がちがっている宝石です。ルビーもサファイアも、アルミニウムと酸素でできています。ほかにまざった元素がなければ無色のサファイアになります。しかし、結晶ができるとき、ほんのわずかに特定の元素が入り込むことで色がつくのです。わずかにクロムが入ると赤いルビーに、チタンと鉄が入ると青いサファイアになります。サファイアにはほかにもイエローやパープルなど、さまざまな色があります。自然のなかではいろいろな元素がまざる可能性があり、色もさまざまになるのです。

このように、もともと含まれている元素やわずかにまざっている元素の組み合わせに加え、原子の並び方の乱れなどによっても宝石の色は変わります。色の濃さやあざやかさなども、これらの量や程度が大きく関わっています。

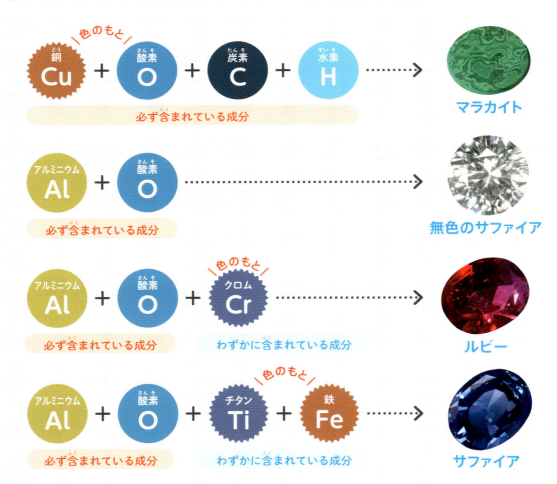

83

2 | 宝石の色が変わる？〈光の種類〉

　光には、太陽の光のようにバランスよくすべての色を含む光、ろうそくや白熱灯（電球）のように色にかたよりのある光、蛍光灯やLEDのように赤、緑、青を組み合わせた光があります。

　屋内と屋外で、宝石の色がちがって見えるのは、光の性質がちがうためです。宝石の専門家は、どんな光でも宝石の色を正しく見きわめられるように、色の見本になる石を持ち歩いています。自分の石と照らし合わせながら色を確かめているのです。

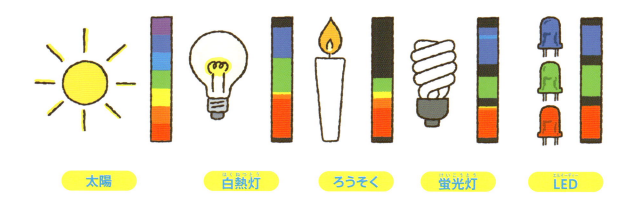

太陽　　白熱灯　　ろうそく　　蛍光灯　　LED

同じ石なのにちがう色に!! カラーチェンジ

　照らす光を変えると色が変わる、めずらしい宝石があります。右の写真は、同じ宝石を太陽光（左）と白熱光（右）を照らして撮影したものです。宝石自身が吸収する光は同じなのに、色がちがって見えます。これはもとの光に含まれる色がちがうために「カラーチェンジ（変色）」して見えているのです。

　太陽光は、赤から紫まで、虹に見える光をバランスよく含んでいます。緑色や青色の宝石がよりあざやかに見える光源です。カラーチェンジの宝石では、緑や青が強調されます。

　一方、白熱光には青から紫の色が少ないので、あたたかみのある光です。赤やオレンジ色など、暖色系の宝石が美しく見えます。カラーチェンジの宝石では、もとの光に少ない青から紫の光が弱くて現れないので、赤みが強く出るのです。

 太陽光

 白熱光

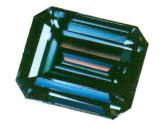

アレキサンドライト

ガーネット

目に見えない光で光る!! 「紫外線蛍光性」

　水族館やお化けやしきなどで、白い服だけが青白く光っていたことはありませんか？　これはブラックライトから出る紫外線が、白い服に含まれる蛍光物質を光らせているのです。宝石のなかにもブラックライトを当てると光るものがあります。この性質を「紫外線蛍光性」といいます。

　ダイヤモンドのおよそ35％に紫外線蛍光性があります。ダイヤモンドの蛍光の色は青が多く、黄色などもあります。弱いものから強い蛍光までさまざまです。またルビーでは、強い赤色の蛍光を発するものがあり、太陽光で観察するとルビーが燃えるように輝いて見えます。一方、ガーネットやペリドットのように、まったく蛍光性が見られない宝石もあります。

　紫外線蛍光性は、宝石の美しさをそこなうことはほとんどありませんが、蛍光性が強すぎるダイヤモンドは太陽光でにごって見えてしまうことがあります。

ダイヤモンドの指輪

ダイヤモンドの色や品質をそろえてつくられている美しいジュエリー。ブラックライトを当ててみると、さまざまな色の蛍光が見られる。

太陽光

ブラックライト

ルビーのルース（裸石）

ブラックライトを当てると、赤い蛍光がはっきりと出るルビー。ブラックライトで現れる赤い蛍光が、太陽光でも感じられる。

太陽光

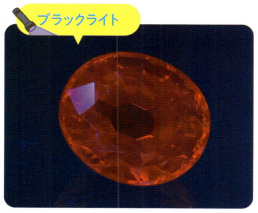
ブラックライト

宝石を観察するときは、ぜひいろいろな光で見てみてください。光によって、さまざまな色の魅力が発見できるかもしれません。

3 | 宝石の色が変わる？〈結晶の向き〉

結晶を観察する方向を変えると、色がちがう宝石があります。このような宝石の特ちょうを「多色性」といいます。多色性は、結晶の向きによって吸収される光がちがうと見られます。光源によって色が変わるカラーチェンジとはちがい、似ている2色または3色が現れます。

向きを変えるとちがう色!?

多色性の強い宝石の代表としては、アイオライトが挙げられます。下のサイコロ形にカットしたアイオライトでは、3つの方向から、3色をはっきりと区別することができます。

多色性の強さは、宝石の種類によって差があります。アイオライトやタンザナイトなどの多色性は3方位、トルマリンやサファイアでは2方位で現れます。どの色が強く出るかは結晶の向きによって決まるので、宝石をカットするときは、どの向きにすればきれいな色が出るかが考えられています。

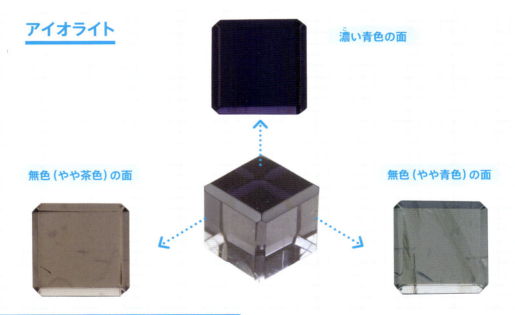

アイオライト

濃い青色の面

無色（やや茶色）の面

無色（やや青色）の面

カットが引き出す多色性

光は宝石のカットによって、宝石のなかでさまざまな方向に反射します。すると光の向きが変わり、吸収される光が変わって、少しちがう色みが見えるようになります。右の写真のタンザナイトには、青紫色と赤紫色が現れています。カットによって、方向を変えなくても多色性が見られるようになっているのです。

多色性は、大粒の宝石ではわかりやすい特ちょうです。見る機会があったら、真上と真横など向きを変えて観察するだけでなく、真上からだけでちがう色みがかくれていないか、探してみましょう。

タンザナイト

3 色のひみつ

4 | 宝石の色が変わる？〈加熱処理〉

加熱することで色が変わり、ちがう色の宝石に変身するものもあります。もちろん加熱は、すべての宝石に効果がある魔法ではありません。変化がないものもあれば、色を失ってしまうもの、加熱中に割れてしまうものもあります。美しい宝石になれるかどうかは、自然が決めているのです。

自然がタネをしかけたマジック

用意するもの ●アルコールランプ ●試験管

※火を使用する実験は、必ず大人といっしょに行いましょう。
128ページのQRコードから、実験の動画が見られるよ。

実験❶ アメシストを加熱してみよう！

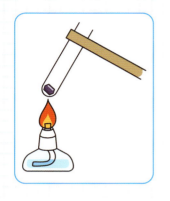

結果 10分間ほど加熱すると、色が変わってシトリンになった！

アメシストとシトリンは同じ鉱物、「クォーツ（石英）」の宝石です。アメシストの紫は、わずかに含まれる鉄と結晶構造（p.80）のゆがみに由来しています。約450℃に加熱すると、このゆがみがゆるやかになり吸収する光も変わり、黄色いシトリンになります。

すべてのアメシストが、加熱によってシトリンになるわけではありません。紫色のまま変わらないものもあれば、緑色を帯びてくるものもあります。

実験❷ ベリルを加熱してみよう！

同じように、うすい茶褐色のベリルを試験管に入れ、アルコールランプで加熱すると、2分〜3分で美しい水色のアクアマリンに変化します。

このように、加熱処理をほどこすことによって色が引き出されたアクアマリンやシトリンは、もとの色に戻ることはありません。

結果 水色のアクアマリンになった！

🔍 宝石の原石を加熱すると？

ルビーやサファイアには800℃〜1800℃の高温で加熱して、色をあざやかにしたり、明るくしたりしたものがあります。「ギウダ」と呼ばれる、無色やうすい色のサファイアの原石は、加熱によって青色が引き出されて美しい宝石となるのです。

87

4 輝きのひみつ

1 | 宝石を観察しよう!

　原石の形を整えて仕上げることを、カットと研磨といいます。仕上げられたダイヤモンドとオパールを観察して、気づいた点を挙げてみましょう。それぞれの宝石が持っている特ちょうに気づくことはできるかな?

ダイヤモンド　ダイヤモンドの輝きには、強く白い反射、虹色の光、動かすと見えるきらめきがあります。バランスよく仕上げられると、光はダイヤモンドの表面と内側で反射と屈折をくり返し、虹色をともなった明るい輝きを生み出します。

晴れた日に川や海がキラキラと光るように、宝石の輝きも、光と宝石の関わりで生まれます。宝石の種類によって、それぞれの宝石の透明度によって、また仕上げられるカットによって、輝きはどのように引き出されるのでしょうか？

オパール

オパールは、目に見えないくらい小さなボール状の「シリカ」という成分が、びっしりと並んで積み上がってできた宝石です。ボールの並びに光が作用し、豊かな色彩を生み出します。色はボールの大きさと見る方向で決まり、そのそろい方によって模様が決まります。

- いろんな色が見えるよ
- 絵の具をまぜているみたい
- 暗いところと明るいところがあるね
- 色にすじがついている
- 動かすと模様が変わっちゃう

無色の宝石に虹色の光!?

光は透明な空気や水、水晶やダイヤモンドを通りぬけます。通りぬける速さは、空気中なら1秒で約30万km、地球7周半に相当する猛スピードです。しかし水中では1秒間に約23万km、水晶では約19万km、ダイヤモンドでは約12万kmとおそくなります。

水面や宝石の表面など、光の速さが変わるところでは、光の一部は反射し、残りは突き進みます。ここで、光の速さのちがいに応じて光が折れたように進む方向が変わります。これを「光の屈折」といい、どのくらい光の進む道が折れるかを「屈折率」といいます。屈折率は真空を通り抜けるときと比べた比率で、空気では真空とほとんど変わらないので1、水は1.33、水晶は1.55程度、ダイヤモンドは2.42です。

プリズムに太陽光を当てると、表面で光が屈折する。色によって屈折率がちがうため、虹色の帯となって観察できる。

また、屈折率は色によって少しずつちがいます。赤より紫の光のほうが屈折率は大きく、光の折れ方も大きくなります。このため、光をプリズムに通すと、白い光が虹の七色に分かれるのです。ダイヤモンドでは赤の光と紫の光の屈折率の差が大きいので、よりはっきりと赤、橙、黄、緑、青、藍、紫の光を放ちます。

2 | 宝石の輝きと光について考えよう!

　光は宝石の色だけでなく、反射する輝きや透明感、虹色の光でわたしたちの目を楽しませてくれます。光の効果は、石の結晶の特ちょうを生かしたカットと仕上げで引き出されます。光は、つるつるにみがいた宝石の表面で反射して輝き、透明な宝石のなかへ入って通りぬけます。なかには宝石の奥で反射して正面に戻ってくる光もあって、宝石をよりいっそう輝かせるのです。

表面の質感と透明度の関係

透明な宝石

表面で同じ方向に反射する光と、宝石のなかへ同じ角度で曲がって入り、通りぬける光がある。

カナリー・トルマリン

半透明の宝石

表面で同じ方向に反射する光と、宝石のなかへさまざまな角度で曲がって入り、通りぬける光がある。

ジェイダイト

不透明でつるつるした宝石

光は表面で同じ方向に反射する。通りぬける光はない。

ジャスパー

不透明でざらざらした宝石

光は表面でさまざまな方向に反射する。通りぬける光はない。

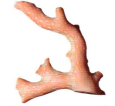

ピンク・コーラルの原木

4 輝きのひみつ

カットされた宝石の各部の名前

フェイスアップ〈上から見たところ〉

ラウンドブリリアント

直径

ファセット
（宝石につけられた面）

テーブル
（中心の最も大きいファセット）

ペアシェイプ

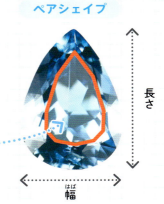

長さ

幅

プロファイル〈横から見たところ〉

パビリオンカット

クラウン
ガードル
パビリオン

キュレット
（パビリオンの先の部分）

カボションカット

トップ

ボトム
（底の部分）

🔍 よいカットって、どんなカット？

よいカットとは、その宝石が最も美しく見えるカットです。ダイヤモンドなら多くの光を反射して輝きを生み出すもの、カラーストーンならその宝石らしい色がはっきり出て、光による濃淡やきらめきが多く出るものです。

宝石を横から見たとき、浅すぎるカットでは光が底から通りぬけてしまいます。深すぎると、光が側面からもれて暗く見えます。中央のように、ほどよい深さで光が上部へ反射すると、明るい輝きが見られます。

宝石は自然のものなので、理想的な形ばかりではなくいびつなことも多くあります。地球が生み出した結晶のよさを生かしたカットこそ、魅力的なよいカットといえるのです。

浅い	ちょうどいい	深い

カットが浅すぎて光が通りぬける。	ほどよいカットだと光が上へ反射する。	カットが深すぎて光が側面からもれる。

3 | 宝石のカットの種類を見てみよう！

　宝石のカットは、時代とともに発展してきました。ラウンドブリリアントカットやエメラルドカットなど、現在よく見かけるもののほかにも、さまざまなスタイルがあります。カットはまずスタイルを決め、シェイプを選び、ファセット（面）をつけて仕上げます。

スタイル　美しさを引き出して楽しむため、宝石の状態（色、透明度、割れやすさなど）によって決めます。むかしから受けつがれた歴史の長いものと、技術の進歩とともに発展してきたものがあります。

タンブル

河原や浜辺に落ちている小石のような、丸みのある自然な形。

ビーズ

穴をあけ、ひもを通すことができる。むかしからある加工方法。

スラブ

厚みのない平らな形。カメオなど、彫刻されることが多い。

カボションカット

上部をドーム状に整えたもの。

ブリオレットカット

全体に面をつけていく仕上げ方。

ローズカット

上部をドーム状に面をつけて仕上げたもの。

パビリオンカット

上部と下部それぞれに面をつけたもの。

シェイプ　シェイプの段階では、フェイスアップ（上から見たとき）の輪かくを選びます。原石の形や性質を生かしますが、時代ごとに人気のある形が多くつくられることもあります。

ラウンド

オーバル

ペア

マーキス

トライアングル

ハート

クッション

スクエア

バゲット

オクタゴナル

4 輝きのひみつ

ファセットの配置

透明な宝石は、ファセットをつけて透明感と色、輝きを引き出します。パビリオンカットのファセットの配置は、多くが右の3つのいずれかになります。

ブリリアントカット

ファセットが中央から放射状に配置されている。

たとえば ラウンドブリリアントカットにする場合

1 スタイル 全体の形を決める

→ パビリオンカット

2 シェイプ 上からの形を決める

→ ラウンド

3 ファセットの配置 面のつけ方を決める

→ ブリリアントカット

ステップカット

ファセットがガードルと平行に配置されている。オクタゴナルシェイプのステップカットは「エメラルドカット」とも呼ばれる。

ミックスドカット

右の写真では、クラウンはブリリアントカット、パビリオンはステップカットにされている。クラウンがステップカット、パビリオンがブリリアントカットのものもある。

いろいろな仕上げ方法

平らな面をつけるだけでなく、みがく角度や表面の質感を変えて、個性を引き出す仕上げ方もあります。

バフトップ

クラウンがドーム状に仕上げられたパビリオンカット。

チェッカーボード

チェスのボードのように、正方形の面を並べている。

カービング（彫刻）

写真のようなカメオ（浮き彫り）とインタリオ（しずみ彫り）がある。

4 ｜宝石はどのように仕上げられるの？

　宝石を仕上げる作業は、宝石の魅力を引き出すための大切な仕事です。機械化が進んでいる工程もありますが、多くはすぐれた手作業で行われています。ここでは、ペリドットの原石がペアシェイプのミックスドカットに仕上げられる様子を見てみましょう。

ペリドットの原石を仕上げる

❶ 原石を観察して形を決める。コンピューターで解せき（形を調べる）し、仕上がりの形を決めることもある。

❷ 原石に輪かく（大まかな形）の印をつける。

❸ グラインダー（研削盤）で輪かくにそって、あらけずりする。

❼ スティックに固定し、輪かくを整える。

❽ クラウンに面をつけてみがく。大きいファセットから順に細かいファセットもみがいていく。

🔍 描けるかな？
ラウンドブリリアントカット

　宝石の絵を描くのって、むずかしいと思っている人は多いですよね？　ここでは、ダイヤモンドの代表的なカットの「ラウンドブリリアントカット（p.91）」を上から見た絵の描き方を紹介しましょう。意外とかんたんに描けますよ。

❶ 円を描きます。

❷ 円の中心に正方形を描きます。

❹ 輝きのひみつ

仕上げ前 → 仕上げ後

❹ テーブル面をつける。

❺ 角度を調整しながら、パビリオン面をつける。

❻ テーブル面をみがき上げる。

❾ クラウン面が完成。同様にパビリオン面もみがく。

完成

上面　側面

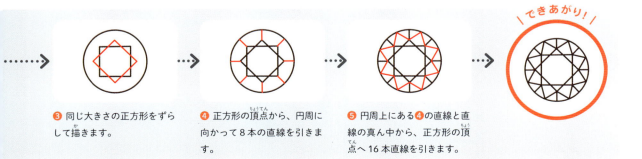

できあがり！

❸ 同じ大きさの正方形をずらして描きます。

❹ 正方形の頂点から、円周に向かって8本の直線を引きます。

❺ 円周上にある❹の直線と直線の真ん中から、正方形の頂点へ16本直線を引きます。

知って価値アリ！1カラットコラム ②

宝石の「じょうぶさ」とは？

宝石の「じょうぶさ」には、3つの要素があります。1つめは「キズつきにくさ」で、けずれにくいか、ほかのものとこすり合わせたときにあとがつかないか、というキズへの強さです。2つめは「こわれにくさ」で、割れたり欠けたりしにくいか、というしょうげきへの強さです。3つめは「変わりにくさ」で、温度や湿度、光、熱などによって変化しないか、という強さです。

「キズつきにくさ」と「こわれにくさ」のちがいを説明しましょう。たとえばガラスのコップは、つめで引っかいてもキズはつきません。しかし、落としたり金づちでたたいたりしたら割れてしまいます。反対にカバンやくつなどに使われている革は、つめやとがったものでかんたんにキズをつけることができますが、落としてもたたいてもかんたんには破れません。つまり、ガラスは「キズつきにくい」けれども「こわれやすい」、革は「キズつきやすい」けれども「こわれにくい」のです。

じょうぶさは、宝石を長く美しいままで楽しむために大切なポイントです。じょうぶな宝石は指輪に、心配な宝石はペンダントやブローチにしたり、宝石の留め方を工夫したりするなど、「キズつきにくさ」と「こわれにくさ」は、宝石の選び方や使い方に役立てられます。

	ガラス	革
キズつきにくさ	高い／つめで引っかいてもキズはつかない。	低い／つめで引っかくとキズがついてしまう。
こわれにくさ	低い／金づちでたたくと割れてしまう。	高い／金づちでたたいても破れない。

キズつきにくさを表すモース硬度

キズつきにくさの指標としてよく使われるのが、「モース硬度」です。ドイツの鉱物学者、フリードリヒ・モース博士が1822年に考案したものです。基準となる10種類の鉱物をたがいにこすり合わせて、どちらにキズがつくかどうかを調べてまとめられました。

身近なものでは人間のつめは2 ½、10円玉は3 ½、ふつうのガラスは5。空気中のチリやホコリには、とても小さな粒ですがモース硬度7のクォーツがまざっているので、ガラス窓などにも少しずつキズがついていきます。

モノ	モース硬度
人間のつめ	2 ½
10円玉	3 ½
ふつうのガラス	5
チリやホコリ	7
ダイヤモンド	10

モース硬度

いちばん下の段に並んでいるのは、モース硬度の基準石。キズつきにくい順に、10＝ダイヤモンド、9＝コランダム（ルビー）、8＝トパーズ、7＝クォーツ（アメシスト）、6＝フェルスパー（ムーンストーン）、5＝アパタイト、4＝フローライト、3＝カルサイト、2＝ジプサム（石こう）、1＝タルク。2段目から上は、同程度の硬度の宝石です。

こわれにくさの基準は？

宝石のこわれにくさは、結晶に割れやすい方向があるか、どんな割れ目ができやすいかに加え、その宝石の種類ならではのインクルージョン（p.63）の量などを総合的に判断します。この本では、GIA（アメリカ宝石学会）の基準をもとにしています。

キズつきにくい宝石の代表のダイヤモンドであっても、割れたり欠けたりします。こわれにくい宝石の代表はジェイダイトです。割れにくいので、むかしからくりぬいた指輪やうで輪のほか、彫刻もたくさんつくられてきました。

ジュエリーに仕立てるときに欠けてしまったダイヤモンド。

ジェイダイトをくりぬいてつくられた指輪。

5 名前のひみつ

1 | 見た目が語源の宝石

　宝石でも「名は体を表す」ことがよくあります。むかし、赤い色の宝石はすべてルビー、青い色の宝石はすべてサファイアと呼ばれていましたが、種類のちがいがわかってくると、それぞれの見た目の特ちょうなどをとらえて名づけられるようになりました。

ルビー
ラテン語で「赤」を意味する「ruber（ルベル）」が語源。

サファイア
ギリシャ語で「あざやかな青い石」を表す「sappherios（サピロス）」、ラテン語で「青色」を表す「sapphirus（サフィルス）」が語源。

エメラルド
ギリシャ語で「緑の石」を意味する「smargdos（スマルグドス）」がラテン語の「smaragdus（スマラグドス）」、古典フランス語の「esmeralde（エスメラルド）」と変化し、エメラルドとなった。

トルマリン
シンハラ語で「さまざまな色の宝石」を意味する「toramalli（トゥラマリ）」が語源。

ラピスラズリ
ラテン語で「石」を意味する「lapis（ラピス）」、ペルシャ語で「青」や「空」を意味する「lazward（ラズワード）」が語源。

宝石の名前には、いろいろな語源があります。わかりやすい見た目や色だけでなく、産出する土地やゆかりのある人の名前、今は使われていない古い言葉など、宝石の歴史を感じさせるものもあります。それぞれの名前から、宝石のルーツを探ってみましょう。

スピネル

原石の結晶の形から、ラテン語で「とげ」を意味する「spina（スピナ）」が語源。

アクアマリン

ラテン語の「水」を意味する「aqua（アクア）」と、「海」を意味する「marina（マリナ）」を組み合わせて名づけられた。

シトリン

「レモン」に似た柑橘類のフランス名、「citron（シトロン）」が語源。日本では「黄水晶」と呼ばれている。

ガーネット

ラテン語で「ザクロ」を意味する「granatus（グラナタス）」が語源。日本でも「ざくろ石」と呼ばれる。

デマントイド・ガーネット

ダイヤモンドは、ギリシャ語で「征服されない」という意味の「adamas（アダマス）」が語源。そのダイヤモンドような強い虹色の輝きを放つことから、「ダイヤモンドに似た」を意味する「デマントイド」と名づけられた。

キャッツアイ

ネコの目のような見た目から名づけられた。回転させると瞳が開いたり閉じたりしているように見える。

2 | ことば・地名・人名が語源の宝石

　古くから大切にされてきた宝石には、長い歴史を感じさせるむかしの言葉で名づけられていることが多くあります。地名がつくものは、宝石の旅路を感じさせる魅力があり、人名は名声や偉業を宝石に閉じ込めて表しているかのようです。

ことば

オパール

ローマ人が「貴重な石」を意味する言葉「opalus（オパルス）」と名づけた。

トパーズ

「火」を意味するサンスクリット語の「tapas（タパス）」が語源。

ペリドット

アラビア語で、「宝石」を意味する言葉「faridat（ファリダット）」が語源。

アメシスト

古代ギリシャ語で「酒に酔わない」という意味の言葉「amethustos（アメテュストス）」が語源。

地名

トルコ石（ターコイズ）

トルコでは産出しないが、トルコを経由してヨーロッパに運ばれたため、「トルコの石」という意味の「ターコイズ」と呼ばれた。

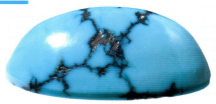

ツァボライト・ガーネット

ケニアのツァボ国立公園で発見された。グロッシュラー・ガーネットのうち、緑色が濃くあざやかなものだけを「ツァボライト」と呼ぶ。

タンザナイト

1967年にタンザニアで発見された。「ゾイサイト」という鉱物のうち、青紫色から赤紫色の透明で美しいものだけを「タンザナイト」と呼ぶ。

5 名前のひみつ

人名

モルガナイト

アメリカの銀行家で宝石収集家としても知られる、ジョン・モルガンにちなんで名づけられた。

アレキサンドライト

1830年ロシアのウラル山脈で発見された。のちにロシア皇帝となる、皇太子アレクサンドル2世にちなんで名づけられた。

スギライト

発見者の一人である日本の岩石学者、杉健一博士にちなんで名づけられた。

3 宝石の名前？ 鉱物の名前？

　宝石のなかには、宝石の名前と鉱物の名前がちがうものがあります。たとえばルビーとサファイアは宝石の名前ですが、鉱物の名前は「コランダム」です。色がちがうので別の種類の鉱物と思われていましたが、科学的な分析が進み、同じ鉱物であるとわかりました。コランダムという名前は、サンスクリット語（インドの古い言葉）で、ルビーを意味する「クルビンダ」に由来します。

　同じように、エメラルドとアクアマリンは、どちらも「ベリル」という鉱物で、緑色はエメラルド、水色はアクアマリンという宝石名がついています。ほかの色は、ピンク色のモルガナイトなどのように特別な名前があるものと、レッド・ベリル、イエロー・ベリルなど、色の名前と鉱物名を組み合わせて宝石としての呼び名になるものがあります。

　ダイヤモンドやトパーズ、トルマリンなどは、宝石の名前が鉱物の名前と同じです。くわしく言い表すときはブルー・ダイヤモンドやピンク・トパーズのように色名をつけたり、パライバ・トルマリンのように産地名をつけたりします。このように宝石名は、見た目や特ちょうがわかりやすい呼び名がつけられています。

宝石名と鉱物名がちがう

- ルビー（コランダム）
- サファイア
- エメラルド（ベリル）
- アクアマリン

宝石名と鉱物名が同じ

- ブルー・ダイヤモンド（ダイヤモンド）
- ピンク・トパーズ（トパーズ）
- パライバ・トルマリン（トルマリン）

101

4 | 宝石和名クイズに挑戦しよう！

カタカナで書かれることが多い宝石名。しかし、なかには日本語の名前「和名」がついているものもあります。右ページに並んだよく知られているカタカナ表記の宝石と、和名の宝石を組み合わせてみましょう。さて、きみはいくつわかるかな？

1 | 孔雀石

クジャクの羽の色に似ている。宝石名は、ギリシャ語で植物のゼニアオイから。

2 | 翡翠

鳥のカワセミ（漢字で「翡翠」と書く）の美しい羽の色から名づけられた。

3 | 尖晶石

原石の形からつけられた名前。正八面体の角がとがったトゲのようなんだ。

4 | 蛍石

熱するとほんのり光る様子がホタルを思わせるため。紫外線蛍光性（p.85）が発見された宝石。

5 | 電気石

熱や圧力をかけると、静電気を帯びる性質があることから。

6 | 黄玉

さまざまな色があるけれど、歴史が長いのは黄色。黄色い玉（宝石）といえばこれだった。

7 | 石榴石

原石が石榴の実に似ている。むかしは赤だけだったけれど、今は緑も人気。

❺ 名前のひみつ

8 ｜珊瑚(さんご)

赤やピンク色のものがある。海にすむ微生物(びせいぶつ)がつくり出す宝石(ほうせき)だよ。

9 ｜水晶(すいしょう)(石英(せきえい))

むかしは「永遠にとけない氷」と思われていたよ。

10 ｜瑠璃(るり)

ヨーロッパでも日本でも、絵を描(か)くのに使われていたよ。「瑠璃色(いろ)」はどんな色だろう？

11 ｜瑪瑙(めのう)

きれいなしま模様(もよう)が特ちょう。日本でも青森県(あおもりけん)や石川県(いしかわけん)などで採(と)れるよ。

12 ｜金剛石(こんごうせき)

「金剛(こんごう)」は仏教(ぶっきょう)用語で、とてもかたいことを意味しているよ。金剛石(こんごうせき)もかたいよ！

13 ｜蛋白石(たんぱくせき)

日本で採(と)れるものは、キラキラしているものは少なくて、卵(たまご)の白身みたいなのがほとんどだよ。

オパール	
ジェイダイト	
アゲート	
トルマリン	
ダイヤモンド	
ガーネット	
マラカイト	
ロッククリスタル	
ラピスラズリ	
フローライト	
トパーズ	
スピネル	
コーラル	

答えは123ページを見てね。

6 歴史のひみつ

1 | 世界地図で見る宝石の歴史

宝石の歴史は、文化と旅の歴史です。美しい宝石は産地を飛び出し、力のある国や地域へ向かいます。産地には新しいところ、むかしから続いているところ、今では採掘が行われていないところがあります。宝石は時代をこえて輝き続けるので、むかしの産地もよく知られています。

ヨーロッパ 身分の高い人が力を示す道具として、宝石やジュエリーを用いた。

ロシア ダイヤモンドの現在の主要な産地。

エジプト ピラミッドなどの特別なお墓にはさまざまな宝石が眠っている。

ローマ 古代ローマの学者、大プリニウスは著書『博物誌』の最終章で宝石を解説している。

インド 18世紀までダイヤモンドの唯一の産地。インドの王族は形のよい原石を国外に出さなかった。

カシミール サファイアの高名な産地。

カンボジア サファイアの現在の主要な産地。

タイ ルビーの現在の主要な産地。

ザンビア エメラルドの現在の主要な産地。

モザンビーク ルビーの現在の主要な産地。

ジンバブエ エメラルドの現在の主要な産地。

マダガスカル サファイアの現在の主要な産地。

スリランカ サファイアの現在の主要な産地。

ナミビア ダイヤモンドの現在の主要な産地。

ボツワナ ダイヤモンドの現在の主要な産地。

南アフリカ 3番目に見つかったダイヤモンドの産地で、現在も主要な産地。初めて一次鉱床が見つかり、ダイヤモンドの研究が進んだ。

ミャンマー ルビーとサファイアの歴史的な産地で、現在も主要な産地。

中国 シルクロードの出発点、西安（旧長安）。日本との交易の重要な場所だった。

人類の歴史が文字で記録されるずっと前から、宝石は人間の暮らしに登場しています。古くは石器時代の遺跡で見つかっていますし、遠くはなれた宝石が世界の人々の交流を教えてくれます。宝石やジュエリーを通して、世界の歴史をのぞいてみましょう。

ヨーロッパ宝飾文化の立役者 ジャン＝バプティスト・タヴェルニエ

ジャン＝バプティスト・タヴェルニエは、1605年、パリに生まれました。彫刻家の父の店で見た地図から外国にあこがれ、1623年には初めてヨーロッパを横断しました。その後、アジアへの旅を6回も重ね、フランス王宮に数多くの貴重な宝を持ち帰りました。1676年から旅行記を出版し、おとずれた世界各地の様子や風習から、仕入れた宝石の形、価値の計算など、細かなことまで記しています。

タヴェルニエが出版した旅行記『ジャン＝バプティスト・タヴェルニエの6つの旅』。

カナダ
ダイヤモンドの現在の主要な産地。

日本
縄文時代、新潟県糸魚川産のひすい（ジェイダイト）が勾玉として使われ、日本各地に伝わる。

アメリカ
1849年ゴールドラッシュ。金を目当てに開拓が進んだ。20世紀には、世界一のジュエリー消費国となる。

シルクロード
各地の物産や金銀とともに、多くの宝石が旅をした。アフガニスタンのトルコ石、中国のジェイド、インドのダイヤモンド。その旅路は、総延長距離約8400kmとされる。

メキシコ
15世紀、アステカ文明ではジェイダイトが珍重された。

コロンビア
エメラルドの歴史的な産地で、現在も主要な産地。

ブラジル
インドに次ぐ2番目のダイヤモンドの産地。インドとともに、1860年代に採れなくなった。現在は多くの種類の宝石を産出。

大航海時代
16世紀、スペインとポルトガルにより、世界を結ぶ航路が確立された。コロンビアのエメラルドやメキシコのジェイダイトなどがヨーロッパに渡った。

宝石が運ばれたおもなルート
- シルクロード
- スペインの航路
- ポルトガルの航路

2 | 宝石でたどるジュエリーの歴史

地球は46億年前に誕生したと考えられています。ジルコンは44億年前、ダイヤモンドは30億年前にできた石が見つかっています。ジュエリーの歴史は、人類の歴史とほぼ同時にスタートしました。各地の文化とともに歩んできたジュエリーには、どんなものがあるのでしょうか？

5～6世紀の古墳時代につくられた、国宝「硬玉光玉」。熊本県和水町の江田船山古墳から出土。

"ひすいでつくられた勾玉"

紀元前3000年ごろ
日本
ジェイダイト（ひすい）

紀元前10万年～紀元前7万年ごろ、石器時代の人々は貝がらに穴をあけたり石に模様を彫ったりしていました。縄文時代にはジェイダイト（ひすい）を勾玉に加工していたことがわかっています。『万葉集』の歌にもひすいと考えられる「玉」という表現が登場します。

紀元前1991年～紀元前1650年
古代エジプト
アメシスト、金

エジプトやギリシャなど古代文明が発展した地域では、王族や権力者に宝石が集まりました。このアメシストは、古代エジプト人が神の化身と考えた、スカラベ（甲虫の一種）の形に彫刻されています。金を使って指輪に加工され、長い間、エジプト王族の墓に眠っていたものです。

ツタンカーメン
紀元前1300年代の古代エジプト第18王朝の12代目の王。

ツタンカーメンのマスク
黄金にラピスラズリ、カーネリアン、トルコ石、オブシディアンなど、さまざまな宝石が使われている。

"約4000年前のスカラベの指輪"

出典：〈硬玉光玉〉東京国立博物館 ColBase (https://colbase.nich.go.jp)

6 歴史のひみつ

"史上最大級のブルー・ダイヤモンド"

マリー・アントワネット
1755年〜1793年。フランス王ルイ16世の妃。フランス革命が起こり、処刑されてしまう。

受けついだのはマリー・アントワネット
ルイ14世の孫のルイ16世とマリー・アントワネット夫妻は、ばく大な財産とともに、「ホープ・ダイヤモンド」を相続した。2人の手をはなれたあとは、ヨーロッパやアメリカの大金持ちが所有していた。

イラストのホープ・ダイヤモンドは、現在、アメリカのスミソニアン国立自然史博物館で展示されているデザイン。ルイ14世が購入してから、何度かカットし直され、いくつかのデザインのジュエリーにセットされてきた。

6〜8世紀

東ローマ帝国（現在のトルコ周辺）

エメラルド、金

この時代、美しい宝石は神がつくったもので、ふしぎな力があると信じられ、身分の高い人などが身につけていました。このエメラルドの指輪も、儀式を行う聖職者が使っていたと考えられています。

1668年

フランス

ダイヤモンド

太陽王として知られるルイ14世は、アジアへの旅からもどった、ジャン＝バプティスト・タヴェルニエから1000個以上のダイヤモンドを購入しました。そのなかの1つが、のちに「ホープ・ダイヤモンド」と呼ばれる大粒のブルー・ダイヤモンドでした。

クレオパトラ
紀元前69年〜紀元前30年。古代エジプトの有名な女王。

クレオパトラが愛した宝石
緑の宝石を好み、天然真珠のイヤリングを持っていたといわれている。

"儀式で使用された!? エメラルドの指輪"

出典：〈スカラベの指輪〉スカラベ：OA.2012-0002、〈エメラルドの指輪〉金製指輪：OA.2012-0108／国立西洋美術館 橋本コレクション

"ペルシャの秘宝！ エメラルドの短剣"

ナポレオン・ボナパルト
1769年〜1821年。フランス皇帝としてヨーロッパをせいふくした。

> **流行をつくったナポレオン**
> 妻のジョセフィーヌとともに、ギリシャやローマ帝国の文化をまねたジュエリーをつくらせ、流行となった。

18世紀半ば
オスマン帝国（現在のトルコ周辺）
エメラルド、ダイヤモンド、金ほか

オスマン帝国の皇帝、マフムード1世が、ペルシャ（現在のイラン）のアフシャール朝の君主への贈り物として、エメラルドの短剣をつくらせました。ところが、君主が暗殺されたため、帝国の宝物となり、トプカプ宮殿に収められました。

"楽しい 文字遊びの指輪"

トーマス・エジソン
1847年〜1931年。アメリカの発明家。蓄音機、白熱電球などを発明。

> **エジソン、電球を発明**
> 動力が人力や水力から蒸気や電気へと変わり、宝石をみがく技術も発展。電球の明かりにより、光り輝くダイヤモンドがより注目されるようになる。

1830年ごろ
イギリス
ルビー、エメラルド、ガーネット、アメシスト、ダイヤモンド、パール、金

使われている宝石の頭文字で、メッセージを伝えています。R（ルビー）、E（エメラルド）、G（ガーネット）、A（アメシスト）、R（ルビー）、D（ダイヤモンド）で「REGARD（尊敬、好意）」となります。このころから産業革命によって、新しいお金持ちが生まれ、さらにジュエリーが広まりました。

歴史のひみつ

"モダンなアール・デコのデザイン"

1925年ごろ

製作地不明

ダイヤモンド、プラチナ

直線的でむだのないデザインが流行。この指輪は、20世紀に入ってプラチナを加工する技術が完成したこと、ダイヤモンドの産出が増えて、正確に同じ大きさに仕上げる技術ができあがっていたことを物語っています。

"オパールが輝くアール・ヌーヴォーのデザイン"

1900年ごろ

フランス

オパール、ダイヤモンド、金、

王侯貴族向けのきらびやかなジュエリーとはちがい、アール・ヌーヴォーは東洋のものや自然を参考にした曲線的なデザインです。高価な宝石ではなく、ムーンストーンやオパールなどが使われました。美術品のような作品が多くあります。

"せん細な細工が美しいエドワーディアンの指輪"

1900年ごろ

アメリカ

ダイヤモンド、プラチナ、金

とける温度の高いプラチナを加工する技術が発展した時代。ダイヤモンドを使い、プラチナにせん細な細工をしたエドワーディアン・スタイルです。マリー・アントワネットが好んだガーランド（花冠）のデザインが取り入れられています。

出典：＜文字遊びの指輪＞リガード・リング：OA.2012-0400、＜アール・デコの指輪＞六角形ダイヤモンドのアール・デコ・リング：OA.2012-0491、＜アール・ヌーヴォーの指輪＞植物モチーフのアール・ヌーヴォー・リング：OA.2012-0462、＜エドワーディアンの指輪＞マーキーズ形の指輪：OA.2012-0479／国立西洋美術館 橋本コレクション

7 価値のひみつ

1 │ 宝石としての価値を持つには？

　宝石は「美しく」「じょうぶで」「見て楽しめる大きさがあり」「多くの人が求める、数が限られたもの」です。美しくなければ見つけ出されることはありません。また、じょうぶである程度の大きさがなければ美しいまま長く受けついでいくことはできません。

宝石の価値ってなんだろう？

　「数が限られているもの」は、めったにないものです。どんなに美しくじょうぶな石でも、だれもがかんたんに手に入れることができるものは、めずらしくありません。

　また、どんなに美しくても、こわれやすかったり、世の中に広く知られていなかったりすると、「ほしい！」と思う人は少なく、いつでも売り買いできるものにはなりません。このように「宝石にはならない石」は、「コレクターズ・ストーン」（石集めが好きな人のための石）と呼ばれます。

　宝石は、多くの人が値打ちがあると考えるからこそ、時代をこえて世界中で売り買いされてきました。ダイヤモンドやルビーのように、歴史が長くよく知られている宝石は、いつでもほしい人がたくさんいて、掘り出す人、運ぶ人、みがく人、売る人が現れ、取引されています。

　ネオン・ブルーの色で大人気となったパライバ・トルマリンは、鉱山で掘りつくされてしまったため、売買できる量が少なく、高い価値を持つようになりました。パール（真珠）やコーラル（さんご）はじょうぶではありませんが、歴史が長くほしいと思う人がとだえないので、価値がみとめられているのです。

ダイヤモンド	
歴史	5
美しさ	5
めずらしさ	4
じょうぶさ	5

パライバ・トルマリン	
歴史	1
美しさ	5
めずらしさ	5
じょうぶさ	4

ルビー	
歴史	5
美しさ	5
めずらしさ	4
じょうぶさ	5

パール〈養殖〉	
歴史	5
美しさ	5
めずらしさ	1
じょうぶさ	1

コーラル	
歴史	5
美しさ	5
めずらしさ	3
じょうぶさ	1

宝石には価値があります。長い歴史のなかで、宝石の価値が失われたことはありません。では、宝石の価値はどのようにして決まるのでしょうか？　また、宝石はどのようにしてわたしたちの手に届き、時代をこえて受けつがれていくのでしょうか？

需要と供給ってなに？

モノの価値は、ほしいと思っている人の数「需要」と、そのモノの量「供給」によって決まります。宝石の場合、その宝石の良さが知れ渡ると、需要が高まります。供給は産地が見つかれば増え、掘りつくされると減ります。

実際には、需要は長い歴史のなかで急に変化することはありません。また、供給は新しく掘り出されるものと、持っていた人が手放して取引されるものもあるので、価値が激しく上がったり下がったりすることはそれほどありません。

宝石は数が限られているの？

人類が今まで掘り出したダイヤモンドは、宝飾用・工業用を合わせて約1200トン。体積で考えると、一般的な小学校のプール（長さ25m、幅12.5m）に、深さ1mくらい水を入れたのと同じ量です。そのうち宝飾用にカットして仕上げたものは約60トン、ロンドンの2階建てバス2台分に収まってしまうほどしかありません。

ちなみに、むかしから貴重でお金と同じように価値を持つ金は、今まで掘り出した量が約17万トン、ガソリンやプラスチックの材料になる原油は、1日あたり約1300万トンが産出されています。宝石のなかで最も多く取引されるダイヤモンドですら、ほかの天然資源に比べ、ほんのわずかしかないとても限られたものなのです。

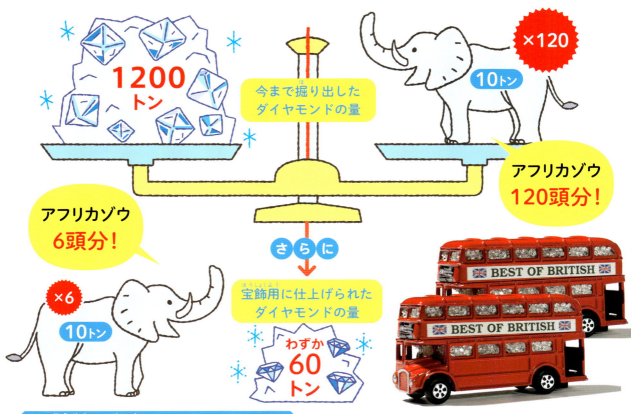

宝石は価値を持ち続ける！

身のまわりのものの多くは、使うとなくなったり古くなったりして価値が失われます。しかし美しくてじょうぶな宝石は、価値を持ち続け、受けつぐことができます。持ち主の身近な人が次の持ち主になることが多いですが、知らない人が受けつぐこともあります。

宝石を受けつぐ場として、18世紀ごろからあるのがオークションです。オークションでは、売りたい人が出品したものを、買いたい人のなかで最も高い価格をつけた人が購入できます。1つとして同じものがない宝石には、世界中から買い手が集まります。近年ではネットオークションなどでも持ち主の橋渡しが行われ、価値あるものを受けつぐことが、より身近に感じられるようになりました。

オークションの様子。宝石も絵画などの美術品と同じように、オークションによって次の持ち主へと渡り、価値を持ち続ける。

2 | 宝石の旅 〜世代をこえて受けつがれる〜

写真の指輪をよく見ると、大粒のエメラルドのまわりに並んだ小粒のダイヤモンドのなかに、大きさや形が少しちがうものがあります。これは、石が取れて後から修理されたものです。また「Platinum（プラチナ）」という刻印の文字が途中でとぎれていて、指輪にはサイズ直しの跡があります。

価値を持ち続ける宝石はジュエリーに仕立てられ、持ち主によって大切に使われます。必要なときには修理をしたり、持ち主が変わったりして受けつがれ、永く輝き続けるのです。

3｜本物の宝石ってなに？

　今もむかしも人間は、美しい宝石に出会い、感動します。そして大自然が生み出したキセキに思いをはせ、そのひみつに胸をときめかせます。ひみつを科学で解き明かすことによって、本物の宝石を見きわめるヒントになります。

鑑別ってなにをするの？

　宝石はむかし、見分けやすい色などによって分けられていました。そのため、赤い宝石はルビー、緑はエメラルド、青はサファイア、黄色はトパーズと呼ばれていたのです。

　しだいに同じ色の宝石でも、かたさや重さ、輝きにちがいがあるとわかり、やがて科学が発達すると、成分のちがいも明らかになりました。このようなちがいが宝石の価値に影響するので、宝石の種類を見きわめることが必要になったのです。

　宝石を観察し、宝石の種類を見ぬくことを「鑑別」といいます。鑑別では、宝石をルーペや顕微鏡でくわしく観察したり、宝石のなかの光の通り方を測ったりします。その石を科学的によく調べ、「この赤い石はなんだろう？」という問いに、「ルビー」なのか、「アルマンディン・ガーネット」なのかという種類と、天然か人工かという答えを出すことができるのです。

ルビー

アルマンディン・ガーネット

宝石用のルーペの倍率は、ふつうの虫メガネと同じ10倍だよ！

「鑑別書」ってどんなもの？

　「鑑別書」には宝石名や産地など、その宝石を調べてわかったことがくわしく書かれています。「鑑別」に似た言葉で「鑑定」や「査定」があります。それぞれ意味を調べると、次のようなちがいがあります。

鑑別：種類のちがいや、本物かどうかなどをよく調べて分けること。
鑑定：物の良い悪いや、本物かにせ物かを見定めること。
査定：よく調べて、等級や金額、価値など評価を決めること。

　つまり、宝石の種類を特定するのは「鑑別」、宝石の良し悪しを見定めるのが「鑑定」、そのときの価値を金額で表すのが「査定」です。

113ページの指輪のエメラルドにつけられた鑑別書。鉱物の種類や産地が記されている。

7 価値のひみつ

これは宝石？　それとも……

宝石は美しくて価値が高いので、むかしからさまざまな「似たもの」が代わりとして使われてきました。たとえば、青く美しくじょうぶさも申し分のない、人気の高い宝石、サファイア。自然がつくり出したままで十分に色の濃い天然の「無処理サファイア」は、特別に高い価値があります。そのままでは色が足りなくても、熱を加えることで青色になった「加熱処理サファイア」は、宝石としてみとめられる価値があります。

サファイアに似ている宝石に、タンザナイトやアイオライトがあります。どちらも透明感があり、とても美しいのですが、じょうぶさが低く価値はサファイアにおよびません。タンザナイトやアイオライトは、サファイアの代わりに使われてきたという歴史を持っていて、それぞれの宝石としての価値があります。

見た目はサファイアに似ているけれども、宝石でないものもあります。たとえばガラスやプラスチックでできた宝石のおもちゃは、宝石としての価値がないのはだれでもわかります。また、天然のサファイアに人間が色の成分を加えて着色した「拡散処理サファイア」や、工場でたくさんできる「人工サファイア」は、いくらでもつくれてしまうので宝石ではなく、宝石としての価値もありません。

宝石は自然がつくり出すもの

科学の進歩にともない、放射線を当てて色を変えたり、天然の石と同じ成分を合成したりといった高度な技術が生まれています。こうした技術を使って、美しい宝石に似せた「宝石とはいえないもの」がたくさん出てきています。しかし、宝石はあくまで自然がつくったものです。地球が育んだ美しくて貴重なものだからこそ、多くの人が求める価値ある宝石なのです。

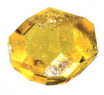

左の写真の2つは、それぞれ製造方法がちがう人工ダイヤモンド。下の写真のように、みがき上げると見た目では天然ダイヤモンドと区別することはできない。

誕生石は時代とともに……

宝石を選ぶときに、自分の誕生石を調べたことがある人もいるかもしれません。古代から人々は、宝石の特別な美しさは神様の力がはたらいたものと考え、その神秘的な力にあやかろうと、お守りとして身につけたり近くに置いたりしていました。

誕生石のはじまりは、聖書に12の宝石が登場したことからだといわれています。その後、天体の観測から発達した星占いや、各地の言い伝えなどがまざりあって、誕生石という考え方ができました。

今の誕生石は、20世紀になってアメリカの宝石をあつかう人々が決めたものがもとになっています。各国の文化に合わせたり、新しく産出するようになった宝石を追加したりしているので、国や年代によってもちがっています。

誕生石のほかにも、星占いと同じ考え方の星座石や、宝石には自然の力が備わっていると信じるパワーストーンなど、宝石の美しさを心のよりどころとする文化は世界中のいたるところにあります。宝石は、気に入って大切にしているうちに、お守りになってくれるかもしれませんね。

 1月

ガーネット

 2月

アメシスト

 3月

アクアマリン　コーラル(さんご)

 4月

ダイヤモンド

5月

エメラルド　ジェイダイト(ひすい)

6月

パール(真珠)　ムーンストーン

 7月

ルビー

 8月

ペリドット

 9月

サファイア

10月

オパール　トルマリン

 11月

トパーズ　シトリン

12月

トルコ石　ラピスラズリ

付 録

左上がダイヤモンド、右上がサファイア、
左下がエメラルド、右下がルビー

付録1 元素周期表で宝石の成分を調べよう！

「元素周期表」とは？
元素周期表は、1869年ロシアの科学者メンデレーエフ博士がつくった、元素の一覧表のことです。原子番号の順に横の行に並び、性質が似ているモノがたての列に並んでいます。

表の見方
- 元素記号…元素の種類を表す記号。
- 元素名…元素の名前。
- 原子番号…1つの原子には、同じ数の「陽子」と「電子」があり、陽子の数を元につけられている番号。

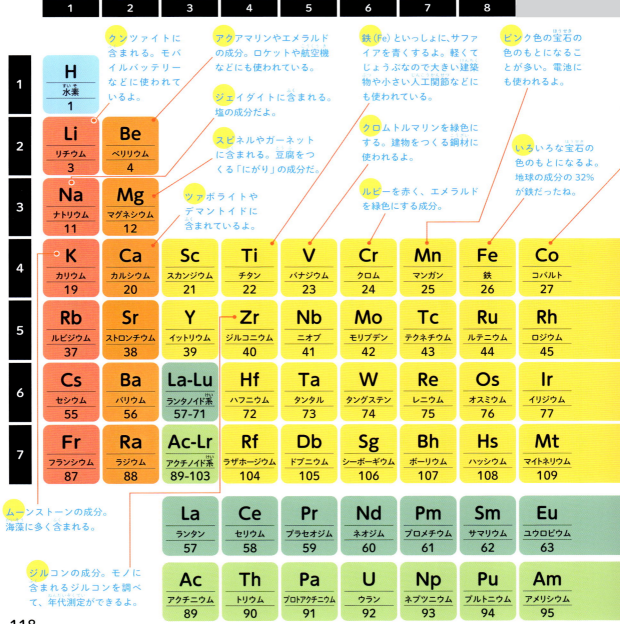

この世界のすべての物質は、「原子」という小さな粒でできています。原子の種類のことを「元素」と呼び、アルファベット1文字か2文字で表しています。ほとんどの宝石も、いろいろな元素が組み合わさってつくられています。「元素周期表」で宝石の元素を調べてみましょう。

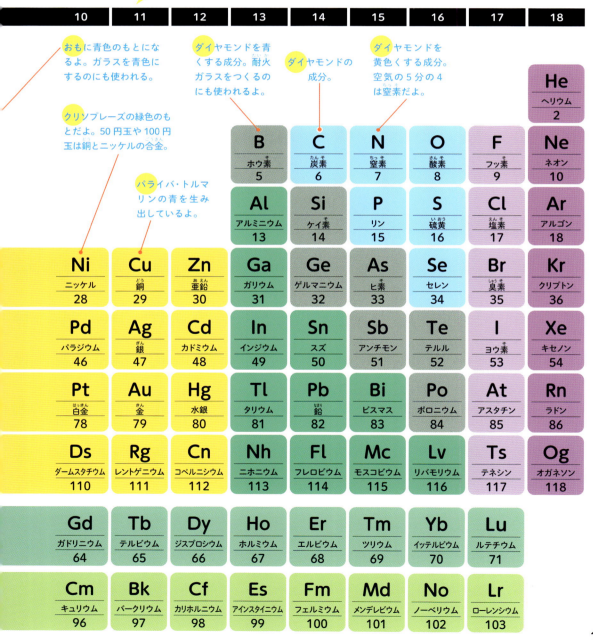

付録2 宝石が見られる世界の博物館・美術館

国立西洋美術館（日本）

4000年前のアメシストの指輪をはじめ、数百点あまりの宝石がセットされた指輪を含む橋本コレクションを所蔵。隣接する国立科学博物館はジェイダイトの「青唐辛子」（諏訪喜久男氏寄贈）を所蔵するほか、日本最大級の鉱物コレクション（櫻井コレクション）が見られる。

スミソニアン国立自然史博物館（アメリカ）

「ホープ・ダイヤモンド」や「マリー・アントワネットのイヤリング」など、宝石とジュエリーのコレクションを展示。

アメリカ自然史博物館（アメリカ）

巨大なジオード（p.77）からカラフルなファンシーカラー・ダイヤモンドまで、さまざまな鉱物と宝石を展示。

ロンドン塔 ジュエル・ハウス（イギリス）

イギリス王室が所有する宝飾品コレクションを展示。

ヴィクトリア＆アルバート博物館（イギリス）

古代文明から現代にいたる歴史的ジュエリーを展示。

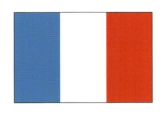

ルーブル美術館（フランス）

フランス王室をはじめとするジュエリー・コレクションを所蔵。「アポロンの間」には、どちらもルイ15世が身につけたとされるダイヤモンド「レジャン」や「サンシー」を展示。

ドレスデン レジデンツ城（ドイツ）

城内にある博物館の「グリューネスゲベルベ（緑の丸天井）」に、世界最大のグリーン・ダイヤモンド「ドレスデン・グリーン」を展示。

世界各国の博物館・美術館には、その国の歴史に関係の深い宝石や、寄贈された有名な宝石が収められています。現地をたずねることはもちろん、バーチャルツアーや日本への巡回展などもあるので、時をこえ、国境をこえて価値ある宝石を鑑賞してみましょう！

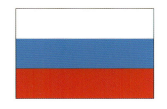

クレムリン ダイヤモンド庫（ロシア）

世界最大級のダイヤモンド「オルロフ」をはじめ、ロマノフ王朝の宝石コレクションを所蔵。

エルミタージュ美術館（ロシア）

西ヨーロッパからロシアにいたるジュエリーを「ダイヤモンドルーム」に展示。

トプカプ宮殿博物館（トルコ）

エメラルドをセットした「トプカプの剣」など、オスマン帝国の宝物を所蔵。

国立故宮博物院（台湾）

ひすいの色のグラデーションを生かした、「翠玉白菜」の彫刻が有名。

宝石をさらに深く学ぼう

博物館・美術館だけでなく、ミネラルショー（鉱物・宝石などの展示・販売会）で気になる宝石を観察したり、家にある宝石をじっくり見たりしても、多くの発見があるでしょう。「宝石について知りたい！」と思う気持ちをぜひ大切にしてください。

さらに学びたくなったら、「宝石学」を勉強することもできます。アメリカにおける宝石の研究・鑑別・教育機関であるGIA（アメリカ宝石学会）は、宝石に関するさまざまな講座を開いているほか、宝石鑑別の国際的な資格である「GG」になるための勉強ができます。GGと並ぶ資格は「FGA」で、イギリス宝石学協会認定の宝石学ディプロマを取得した卒業生にあたえられる資格です。いずれもテキストでの勉強だけでなく、実物の宝石を使った実習を通して学びます。

このほかにも、ジュエリー・コーディネーターやリモデル・カウンセラー、宝石品質判定士など、宝石やジュエリーへの興味をきっかけに学ぶことのできる資格があります。またGIA（2021年現在英語のみ）を含め、さまざまな専門学校が宝石やジュエリーについての入門コースを設けています。

GIA Gemkids

GIAが作成している子ども向けのウェブサイト。宝石についての情報だけでなく、ジュエリーの歴史や宝石に関する仕事についてもふれています。英語のみですが、専門用語には解説や読み方が用意されています。顕微鏡写真を含め、わかりやすい写真が多いので、大人が見ても理解を深めることができます。

付録3 宝石フォトクイズ＆宝石和名クイズの答え

1 ｜ 赤の宝石
いちご／ルビー

産地や品種によって、色や形、味もさまざまないちご。ルビーをはじめ宝石も、種類や産地によって、それぞれの特色があり、味わいがある。

2 ｜ 黄・オレンジの宝石
とうもろこし／シトリン

アメシストを加熱してシトリンに変えることができるが、どんな色になるかは加熱するまでわからない。とうもろこしの味も、ゆでて食べてみて初めて感じることができる。

3 ｜ 緑の宝石
スナップエンドウ／ペリドット

さやに入っている豆の数や色、形はあけてみてからのお楽しみ。宝石の鉱脈も、掘り出してみるまではどんな品質の宝石がどのくらい採れるかわからないことがほとんど。

4 ｜ 青の宝石
クレヨン／サファイア

クレヨンで色をムラなくきれいにぬるのは、意外とむずかしい。宝石の色は、自然の気まぐれのなかで生まれたもの。1つ1つの色合いに個性がある。

いろいろなモノにまぎれ込んでいた宝石は見つけられましたか？　そして、その宝石の名前はわかりましたか？　名前といえば、宝石和名クイズ（p.102）もありましたね。さあ、正解がいくつあったか、答え合わせをしてみましょう！

5 ｜ 紫・ピンクの宝石
ルリタマアザミ／アメシスト

ルリタマアザミは、アザミに似ているのでアザミという名がついているが、植物の分類ではアザミではない。宝石の名前も、見た目に由来するものが多くある。

6 ｜ 無色・白・黒の宝石
ゼリー／ダイヤモンド

ダイヤモンドも上の写真のゼリーも無色透明。ダイヤモンドは光を曲げる力が強いため、より多くの光がそのなかで反射し、くっきりと浮かび上がるように見えている。

7 ｜ ふしぎな光の宝石
クジャクの羽／オパール

クジャクの羽の色は、オパールのように見る角度によって色が変わる。オパールもクジャクの羽の表面も小さな組織が集まってできていて、同じようなしくみで光を反射している。

宝石和名クイズの答え

1. 孔雀石（くじゃくいし）＝マラカイト
2. 翡翠（ひすい）＝ジェイダイト
3. 尖晶石（せんしょうせき）＝スピネル
4. 蛍石（ほたるいし）＝フローライト
5. 電気石（でんきいし）＝トルマリン
6. 黄玉（おうぎょく）＝トパーズ
7. 石榴石（ざくろいし）＝ガーネット
8. 珊瑚（さんご）＝コーラル
9. 水晶（すいしょう）＝ロッククリスタル
10. 瑠璃（るり）＝ラピスラズリ
11. 瑪瑙（めのう）＝アゲート
12. 金剛石（こんごうせき）＝ダイヤモンド
13. 蛋白石（たんぱくせき）＝オパール

付録4 クオリティスケール

クオリティスケールは、宝石の品質をはかるものさし。宝石の種類や産地ごとにつくられます。

　どんな宝石でも、まずは自分の目でよく見て、「いいな」「きれいだな」「おもしろいな」「好きだな」と感じるかどうかが大切です。

　さらに宝石の品質が知りたくなったときは、クオリティスケールが役立ちます。たての数字は、色の濃さ「明度」を表します。0は無色、数が増えると色が濃くなります。横のアルファベットは美しさの基準で、Sが最高です。美しさは、色の純粋さ「彩度」や透明度、カットのよさなど、全体を見て判断します。

　サファイアであれば、濃すぎたりうすすぎたりしない、ほどよい色の濃さで透明感がありよく輝くものが高品質です。宝石は、色と品質によって価値が変わるので、宝石の専門家にとっても、価値を判断するための手助けになります。

　目の前にある1個の宝石だけを見ているとわかりにくいですが、クオリティスケールと見比べると、その宝石のだいたいの品質を判断することができます。

サファイア

エメラルド

ルビー

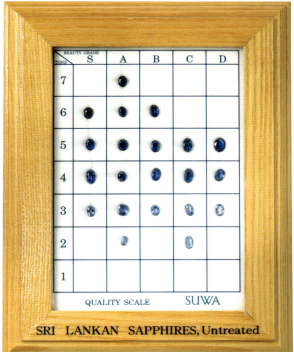

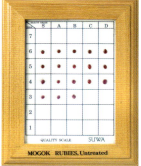

「ひみつ」を手に取ってくれたキミへ

宝石のひみつを探るには、まず、自分でよく観察しましょう。
できれば手に取って、重さやさわった感じを確かめましょう。
ケースに入っていても、自分の目で、角度を変えながらじっくり見てみましょう。
目で見たあとに、虫めがねを使うのもよいでしょう。

見えたもの、感じたことはすべて、その宝石のひみつを解くカギです。

説明書や値札など、文字の情報はわかりやすくて役に立ちます。
けれども、その宝石のいちばんステキなところ、スゴイところが記されているとは
限りません。自分の発見を大切にして、調べたり考えたりしてください。

宝石は、1つとして同じものはありません。
たとえ同じ大きさ、同じ形、同じ色、同じ種類であったとしても、
それぞれに個性があります。
地球が育んだ自然のキセキだからこそ、1つ1つがちがうのです。
一人ひとりの人間と同じように、多様なのです。

今、あなたの手のなかに宝石があるなら、
それはあなたの存在と変わらない、世界でたった1つのもの。

「ひみつ」のカギは見つかりましたか？
「ひみつ」をもっと知りたくなりましたか？

諏訪久子

キーワードさくいん

宝石・鉱物

あ
- アイオライト　　33、39、86、115
- アイボリー（象牙）　　49、59、69
- アウイナイト　　33、40
- アクアマリン　　20、33、38、87、99、101、116、118
- アゲート　　9、22、103、123
- アズルマラカイト　　25、31
- アパタイト　　97
- アマゾナイト　　25、66
- アメシスト　　21、22、43、44、45、69、73、77、87、100、106、108、116、122、123
- アメトリン　　19、44
- アルマンディン・ガーネット　　9、12、13、14、114
- アレキサンドライト　　9、25、61、62、84、101
- アンバー（こはく）　　19、59
- インディコライト　　29、33
- ウォーターメロン・トルマリン　　28、43
- エメラルド　　25、26、27、28、38、62、75、79、82、98、101、104、105、107、108、113、114、116、117、118、121、124
- オニキス　　23、49
- オパール（ブラック、ライト、ボルダー、ファイア）　　19、61、64、65、69、73、88、89、100、103、109、116、123
- オブシディアン　　49、57

か
- ガーネット　　7、12～15、79、84、85、99、103、108、116、118、123
- カーネリアン　　19、23、106
- カナリー・トルマリン　　19、29、90
- カルサイト　　40、79、97
- カルセドニー　　22
- キャッツアイ　　19、61、62、63、99
- クォーツ（石英）　　22、45、63、77、79、87、97、119
- グラファイト　　55、80
- クリソプレーズ　　23、25、119
- クリソベリル　　62
- グロッシュラー・ガーネット　　12、15、25、100
- クンツァイト　　43、46、118
- コーラル（赤さんご、ももいろさんご、ピンク・コーラル）　　9、17、43、59、69、90、103、110、116、123
- コランダム　　36、37、101

さ
- サファイア（カラーレス、ピンク、オレンジ、イエロー、グリーン、パープル）　　19、25、26、28、33、34、35、36、37、39、40、43、49、63、67、68、72、74、75、77、78、83、86、87、97、98、101、104、115、116、117、118、119、122、124
- サンストーン　　9、61、66
- ジェイダイト　　25、30、90、97、103、105、106、116、118、120、123
- ジェイド（インペリアル、レッド、オレンジ、イエロー、ブルー、ラベンダー、アイス、ブラック）　　9、19、30、33、43、49、105
- ジェット　　49、59
- シトリン　　19、21、45、87、99、116、122
- ジプサム（石こう）　　79、97
- ジャスパー　　9、23
- ジルコン（レッド、オレンジ、イエロー、グリーン、ブルー、パープル）　　9、19、25、33、43、49、56、106、118
- スギライト　　43、46、101
- スター・サファイア　　33、61、63
- スター・ルビー　　9、61、63
- スピネル（レッド、オレンジ、グリーン、ブルー、パープル、カラーレス、ブラック）　　9、16、25、33、43、49、63、78、81、99、103、118、123
- スモーキー・クォーツ　　45、49

た
- ダイヤモンド（レッド、ピンク、パープル、オレンジ、イエロー、ブルー、グリーン、ブラック、アンカット）　　9、14、19、20、25、26、27、33、43、49、50、51、52、53、54、55、56、68、72、75、76、78、80、81、85、88、89、91、94、97、99、101、103、104、105、106、107、108、109、110、112、113、115、116、117、119、120、121、123
- タルク　　97
- タンザナイト　　33、34、39、86、100、115
- 長石（フェルスパー）　　66、97
- ツァボライト・ガーネット　　15、25、67、100、118
- デマントイド・ガーネット　　14、25、99、118
- トパーズ（インペリアル、ピンク、ブルー）　　19、20、43、79、97、100、101、103、116、123
- トパゾライト・ガーネット　　14、15、19
- トラピチェ・エメラルド　　25、26
- トルコ石　　33、41、69、100、105、106、116
- トルマリン（グリーン、ブルー、ピンク）　　25、28、29、33、43、62、68、82、86、98、101、103、110、116、123
- ネフライト　　25、30

は
- パール（アコヤ養殖真珠、クロチョウ養殖真珠、シロチョウ養殖真珠、淡水養殖真珠）　　49、58、59、69、108、110、116
- バイカラー・トルマリン　　28、43
- ハイドログロッシュラー・ガーネット　　15、25
- パイライト　　40、79
- パイロープ・ガーネット　　9、12、68
- パパラチア・サファイア　　37、43
- パライバ・トルマリン　　29、33、41、101、110、119
- ブラッドストーン　　23、25
- フローライト　　79、97、103、123
- ヘソナイト・ガーネット　　15、19
- べっこう　　19、59
- ヘマタイト　　49、57
- ペリドット　　25、31、68、85、94、100、116、122

ベリル(レッド、イエロー)	9、38、87、101

ま

マデイラ・シトリン	21
マラカイト	25、31、40、79、83、103、123
マラヤ・ガーネット	14、15、19
マンダリン・ガーネット	14、19
ミルキー・アクア	33、38
ムーンストーン	33、61、66、109、116、118
モス・アゲート	22、25
モルガナイト	38、43、101

ら

ラピスラズリ	33、40、98、103、106、116、123
ラブラドライト	66
ランドスケープ・アゲート	19、22
ルチレイテッド・クォーツ	45、49
ルビー	9、10、11、12、16、20、26、28、35、36、47、63、68、72、75、83、85、87、97、98、101、104、108、110、114、116、117、118、119、122、124
ルベライト	29、43、67
ローズ・クォーツ	43、45
ロードクロサイト	43、47
ロードナイト	43、47
ロードライト・ガーネット	9、13
ロッククリスタル	22、45、49、77、79、103、123

専門用語・人物など

あ

アデュラレッセンス／アベンチュレッセンス	66
アメリカ自然史博物館	120
アレクサンドル2世	62、101
インクルージョン	11、14、26、27、31、35、38、55、63、97
ヴィクトリア＆アルバート博物館	120
エメラルドカット	27、52、92、93
エルミタージュ美術館	121

か

カービング(彫刻)	23、28、30、41、44、45、46、47、57、92、93、97、106、121
化学組成	78、79
加熱処理	11、20、35、38、63、87、115
カボションカット	13、30、38、46、47、57、63、65、91、92
カラーチェンジ	62、84
岩石(火成岩、堆積岩、変成岩)	17、41、50、64、68、69、70、71、72、73、75、78
鑑別(鑑別書)	14、21、46、63、114、121
キンバーライト(キンバーライトパイプ)	50、68
クオリティスケール	124
屈折(屈折率)	16、21、56、88、89
クレオパトラ	26、31、40、58、107

クレムリン ダイヤモンド庫	121
結晶構造	12、55、56、80、81、87
元素(元素周期表)	38、46、50、78、79、80、81、82、83、118、119
鉱床(一次鉱床、二次鉱床)	28、31、52、73、104
国立科学博物館	30、106、120
国立故宮博物院	121
国立西洋美術館	107、109、120

さ

GIA(アメリカ宝石学会)	97、121
シェイプ(ラウンド、オーバル、ペア、マーキス、トライアングル、ハート、クッション、スクエア、バゲット、オクタゴナル)	52、91、92、93、94
紫外線蛍光性	10、11、85、102
シャトヤンシー(キャッツアイ効果)	62
ジャン＝バプティスト・タヴェルニエ	54、105、107
ジョージ・フレデリック・クンツ	46
ジョン・モルガン	101
杉 健一	46、101
スター効果(星彩効果、アステリズム)	63
スタイル(タンブル、ビーズ、スラブ、ブリオレットカット、ローズカット、パビリオンカット)	41、52、91、92、93
ステップカット	27、93
スミソニアン国立自然史博物館	54、107、120

た

多色性	39、86
誕生石	116
チェッカーボード	93
地殻・マントル・核	31、50、66、68、69、70、71、74、78、79
ツタンカーメン	106
トーマス・エジソン	108
トプカプ宮殿博物館	108、121
ドレスデン レジデンツ城	120
ナポレオン・ボナパルト	108

は

バフトップ	93
ピジョン・ブラッド	10
風化作用、侵食作用、運搬作用、堆積作用	72、73
フェイスアップ(ファセット、テーブル)	27、31、91、92、93、94、95
ブリリアントカット	52、53、92、93、94
プレイ・オブ・カラー(遊色効果)	64、65
プロファイル(クラウン、ガードル、パビリオン、キュレット、トップ、ボトム)	91、92、93、94、95
ホープ・ダイヤモンド	54、107、120

まら

マリー・アントワネット	107、109、120
ミックスドカット	93
モース硬度(フリードリヒ・モース)	97
ルーブル美術館	120
ロンドン塔 ジュエル・ハウス	16、120

著　諏訪久子（すわ ひさこ）

慶應義塾大学法学部卒業。東京三菱銀行（当時）、ティファニー ジャパンを経て、フリーランスで宝石関連文書の翻訳・校正に従事。家業ゆえ幼いころより宝石に親しみ、父親の欧米やアジアでの買い付けや取材に同行。GIA本校にてエクステンションクラスを受講し、GGディプロマを取得。2022年より、諏訪貿易株式会社代表取締役に就任。

監修　宮脇律郎（みやわき りつろう）

筑波大学大学院博士課程修了。理学博士。専門は鉱物学。とくに希土類鉱物の結晶化学など。日本鉱物科学会元会長。国際鉱物学連合新鉱物・命名・分類委員会名誉委員長。工業技術院名古屋工業技術研究所主任研究官、国立科学博物館地学研究部長を経て2025年退職、名誉研究員。

写真協力　国立西洋美術館、日本彩珠宝石研究所、株式会社毎日オークション、株式会社モリス、ColBase、PIXTA

参考文献　『起源がわかる宝石大全』『価値がわかる宝石図鑑』『品質がわかるジュエリーの見方』『観察を楽しむ 特徴がわかる岩石図鑑』(ナツメ社)、『小学館の図鑑NEO 岩石・鉱物・化石』『キッズペディア科学館』(小学館)、『岩石・宝石ビジュアル図鑑』(学研プラス)、『宝石と鉱物の大図鑑』(日東書院本社)、『ずかん 宝石』(技術評論社)、『アヒマディ博士の宝石学』(アーク出版)、『プリニウスの博物誌』(雄山閣)、『宝石1』『宝石2』『ダイヤモンド 原石から装身具へ』『決定版 宝石』『決定版 アンカットダイヤモンド』『指輪が語る宝石歴史図鑑』(小社刊)、『Essential Colored Stone Reference Guide』『The Passion of Colored Gemstones』『Colored Stones』(GIA)、『Rocks and Minerals』(NATIONAL GEOGRAPHIC KiDS)、『Smithsonian Nature Guide GEMS』『SCIENCE! SMITHSONIAN』(DK)、GIA Gem encyclopedia、GIA Gemkids website

制作協力　国立科学博物館、諏訪貿易株式会社、飯塚 隆、西本昌司、門馬綱一、高田 力(GIA Tokyo)、末永昌子、宝官優夫、雨宮珠実、高木朝子、成田 潔、平澤香織、諏訪和子、諏訪恭一、御竿健太郎、Kanaha、Sota、Haruna〈敬称略〉

撮影　中村 淳（スタジオKJ）、小澤晶子
装丁・本文デザイン　倉科明敏（T.デザイン室）
イラスト　フジサワミカ、M@R/めばえる
編集　303BOOKS株式会社
校正　株式会社円水社
編集担当　土肥由美子（株式会社世界文化社）

地球のキセキ、大研究！
宝石のひみつ図鑑

発行日　2022年5月5日　初版第1刷発行
　　　　2025年5月10日　　第8刷発行

著者　諏訪久子
発行者　光木拓也
発行　株式会社世界文化社
　　　〒102-8187　東京都千代田区九段北4-2-29
　　　電話　03-3262-5124（編集部）
　　　　　　03-3262-5115（販売部）
印刷・製本　株式会社東京印書館

©Hisako Suwa Misao, 2022. Printed in Japan　ISBN 978-4-418-22818-8

落丁・乱丁のある場合はお取り替えいたします。定価はカバーに表示してあります。
無断転載・複写（コピー、スキャン、デジタル化等）を禁じます。
本書を代行業者等の第三者に依頼して複製する行為は、たとえ個人や家庭内での利用であっても認められていません。

本書で取り上げた、87ページの「アメシストの加熱実験」をはじめ、宝石に関する動画をSUWAウェブサイトで見ることができます。上のQRコードからアクセスしてください。